殷健灵作品

甜心小米①

小米的四个家

XIAO MI DE SI GE JIA

贵州出版集团公司 ▪ 贵州人民出版社

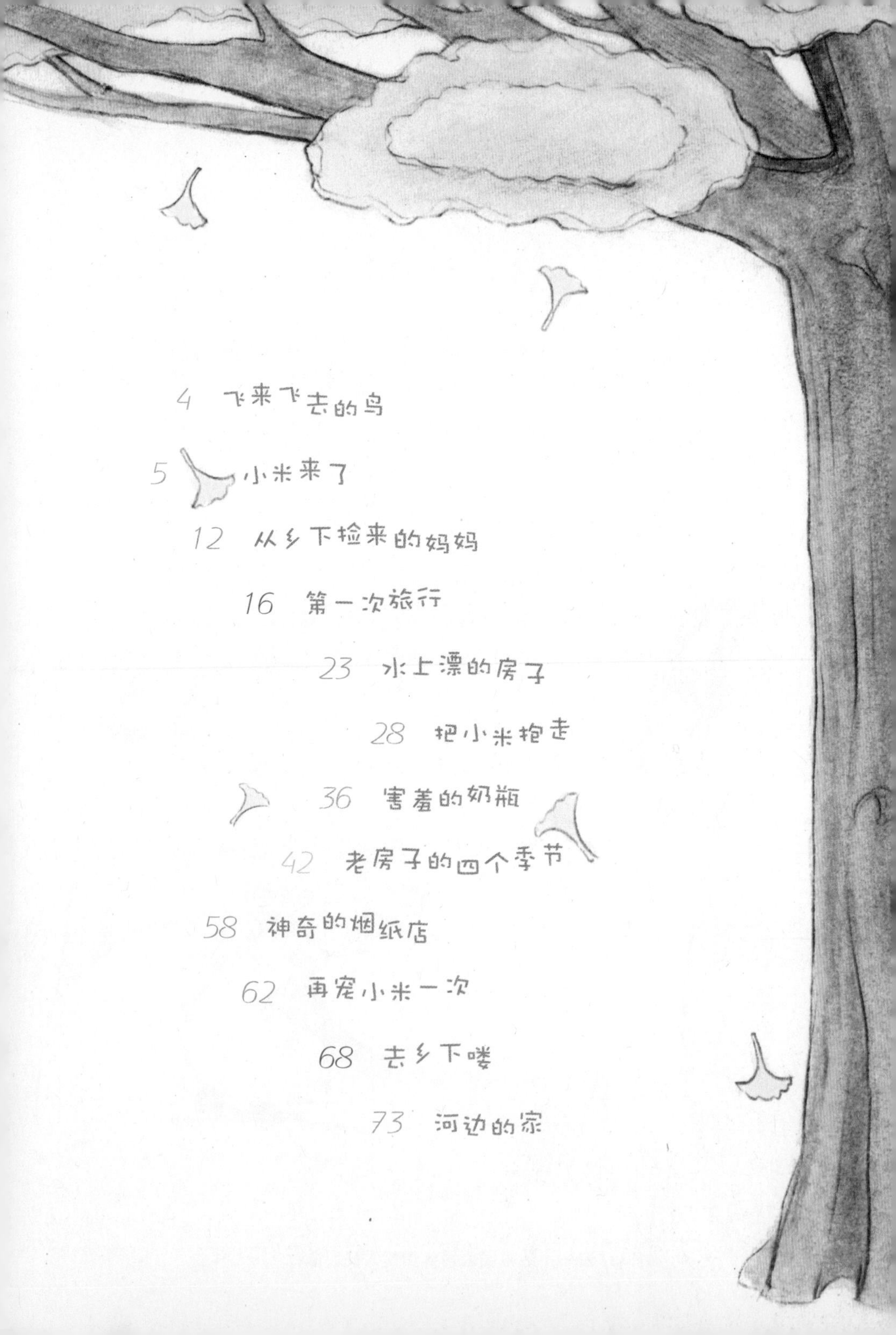

飞来飞去的鸟

儿童文学作家 梅子涵

　　健灵很像一只鸟,飞来飞去的，经常不知道她又在哪个方向。等你看见她时，她嘴里已经又衔着一个新果子，手里又拿着本新的书。她灵活也神秘得很，她爸妈给她取的这个名字和她的性格符合，她很健灵！她在文学的林子里飞得灵巧，有力，上上下下，没有哪根枝头不敢立上，每一根枝头都敢立上了唱一首歌。她唱了，听见的树下人抬头指着,刚想发表评论，争取当个评论家，她却已经忽地飞走，去唱新歌曲了，那离开的身影真很漂亮！

　　她年纪轻轻，从四面八方林子里衔来的果子已经不少，而且，没有一个是从下面的枝头衔来的，她有清高，知道文学的果子不能从下面的枝上摘，更不能是摘自下方，却哇啦哇啦喊，我是来自天空的！儿童文学里真应当打打假，打打无耻牛皮。

　　健灵的文学是真实、诚恳、干净的。

　　她这回写的故事应当是来自她童年记忆的树梢。她在想念那些简单却又无限丰富的生活和味道。她一定是认为这样的生活和味道是应当给现在的孩子看见和闻到的。因为这就是他们的爸爸妈妈的生活，里面有他们的爷爷奶奶，外公外婆。那不是一种很美好的生活，但是那种生活里有好多美好！一想起来便想唱歌。

　　健灵是有些特别的。

　　她的新书又出版了。可是忽地一下，她早已又飞得不见了。

　　她又兴致勃勃去找新的果子了。她不是一个喜欢立在枝头上叽叽喳喳庆功的鸟，也不喜欢研讨啊研讨，结果研讨出一个很大的牛皮来。健灵喜欢飞翔，飞来飞去，而且有点不见踪影。

　　非常好。

小米来了

　　小米来到这个世界上，真的不容易。

　　妈妈怀她三个月的时候，整整发了一个月的低烧，还拉肚子。医生说："这个孩子可不能要，生下来很可能是个傻子，还有可能先天残疾哦。"

　　妈妈吓了一跳，但是妈妈不相信。三个月的小米，待在妈妈肚子里，很安静，很乖。妈妈能感觉到小生命在和自己说话，在恳求她："把我留下来吧。"妈妈没有听从医生的话，她坚持要把肚子里的孩子生下来。

　　小米出生的前两天，妈妈被送进了医院。妈妈忍受着剧痛，可是小米却迟迟不肯出来，她大概是贪恋妈妈肚子里的温暖和舒适吧。待产室里别的妈妈一个一个都生完离开了，只有小米的妈妈还留在那里。

小米的妈妈是难产。

一个小时过去了，两个小时过去了，半天过去了，一天过去了。妈妈痛得死去活来，已经耗尽了力气……又是半天过去了，"我不想生了！"妈妈流着眼泪抱怨道。当妈妈几乎要绝望的时候，哇的一声，小米哭着，不情愿地来到了这个世界。

"是个小姑娘哦，有七斤二两重呢！"

外公、外婆、爸爸都围着小米看。他们又惊又喜又紧张。爸爸小心翼翼地触摸小米米粒儿一般的手指头、脚指头，医生的话还在爸爸耳边回响："这孩子可能会有先天残疾哦。"谢天谢地，小米的手指头、脚指头一个不多、一个不少，她躺在襁褓里，小鼻子小眼的，那么惹人爱。这么长时间以来，大人们悬着的心终于稍稍放下。

小米来了。

　　她闭着眼睛哇哇哭，声音好大，吵得妈妈睡不着觉。可是妈妈不怪她，妈妈高兴着哪，这说明小米活着，她健康，她有劲儿！

　　小米来到了这个世界，可她好像并不是很喜欢这个世界。她总是在该睡觉的时候哭，在该醒着的时候睡觉。她用哭声和世界打招呼。

　　"小米生病了吗？"小米这样不停地哭，让爸爸妈妈很担心，他们手忙脚乱，不知如何是好。

　　爸爸抱着小米去医院看病。在公共汽车上，哭了一夜的小米睡着了，她静静地躺在爸爸的臂弯里，睡得很香甜。

　　"多可爱的宝宝啊，是你的孩子吗？"车上的乘客问爸爸。这个小毛头的皮肤那么白、那么嫩，仿佛一按就会沁出汁水来。她睡着，捏着小拳头，可爱极了。爸爸穿着飞行员的军装，黑黑瘦瘦，难怪别人不相信小米是爸爸的女儿。

　　"当然是我的女儿啦。"爸爸回答，心里又委屈又高兴。

　　到了医院，医生看了看酣睡着的小米，

对爸爸说："她不是睡得很好吗？这孩子没有病。"

爸爸没办法，只好抱着小米回家。

可是到了晚上，小米又哭起来，整夜整夜哇哇地哭，哭得外公外婆爸爸妈妈和周围的邻居们都没法睡觉了。

小米的家在上海的老城区，那是一栋石库门房子。他们住在客堂间，四周的厢房里、亭子间里、二层、三层都住了邻居，小米的哭声穿过薄薄的墙壁在楼里回荡，就好像每家人家都有一个"夜啼郎"。

有一天早晨，外公神秘地对妈妈说："我有办法了。"

外公拿起毛笔，蘸上墨汁，在长条白纸上写下一句话：

天皇皇，地皇皇，我家有个夜啼郎，过路君子念一遍，一觉睡到大天亮。

"这样做真的管用吗？"妈妈在旁边问。

"我也不知道，试试看嘛。"外公说。

外公已经很老了，但他看上去并不太老，他面色红润，银白色的头发整齐地向后梳，即便在家里，他也穿得很整洁，就好像随时要出门去做客一样。他端正地坐在红木八仙桌前，整整写了几十张毛笔字，上面的话都一模一样，他一边写一边轻轻地念：

"天皇皇，地皇皇，我家有个夜啼郎，过路君子念一遍，一觉睡到大天亮。"

"管用吗？"妈妈一个劲儿地问，"这太迷信了吧？"

"老法里常常这样做，我见多了，"外公安慰妈妈，"应该会管用。"

外公写完了字，和外婆一起悄悄地出门了。他们要把那些纸条贴到弄堂里的院墙上、电线杆上，还有马路边的行道树上。

等到他们贴完回来，已经是傍晚了。妈妈正在给小米喂奶。小米闭着眼睛，很享受很幸福的样子。外婆捏了捏小米的鼻子，说："看你晚上还哭不哭。"

到了晚上，小米还是哭。

"不管用啊。"妈妈对外公和外婆说。

"再等等。"外公说。

第二天晚上，小米又哭了一夜。

第三天，小米照样哭。

妈妈垂头丧气地说："怎么办啊，我也想哭了。"

到了第四天晚上，大人们很紧张地谛听着小米的动静，准备好了再听她哭闹一整夜。可是小米居然不哭了。她安安静静地睡到天亮，全家人也好不容易睡了个安稳觉。

"真的管用噢。"吃早饭的时候，妈妈高兴地对外公外婆说。

"再看看今天晚上吧。如果不哭，就是好了。"外公有把握地说。

幸运的是，从此以后，小米再也没有在晚上哭闹了。

从乡下捡来的妈妈

妈妈是外公外婆唯一的女儿，但并不是他们的亲生女儿。在家里，这不是秘密。

外公和外婆年轻的时候从乡下来到了上海，并且在这里安了家。外公开了一间红木小作坊，专门加工红木小摆件，比如红木葫芦、红木生肖动物、红木笔架和笔挂、红木鱼虫……他们在房子的底楼开作坊，阁楼上住人。晚上睡觉的时候，总是能闻到很浓的酸醋味，那是红木的气味。

日子慢慢好起来了，但外公和外婆始终没有孩子，他们很想要一个孩子。有一年春天，外婆回到乡下的老家。在家门前的小河边，外婆看见了一个小姑娘。那小姑娘三四岁的模样，扎着两个羊角辫儿，穿一件宽宽大大的花褂子，一看就知道是哥哥姐姐穿剩下来的。小姑娘站在河边的柳树下，出神地盯着河面上的一片叶子看，那叶子跟着水流打着旋儿。小姑娘看呆了，小鼻子上鼓出一个鼻涕泡，那样子好玩极了。

外婆认得那小姑娘是刘婶婶家的十丫头，叫妮妮。外婆走过去对妮妮说："跟我去上海玩吧。"本来只是说着玩的，没想到妮妮点点头，爽快地答应了，让外婆牵着手回了家。再后来，妮妮跟着外婆坐了独轮车，又坐了船、坐了汽车，从乡下的田埂上一直走到了上海那间飘着酸醋味的房子里。

本来，外婆只是带妮妮去上海

玩，没想到，这一去，妮妮竟留了下来。刘婶婶家的孩子太多了，妮妮便自然而然地成了外公和外婆的女儿。

妮妮在红木作坊里长大，她喜欢在飘着饭香和菜香的弄堂里蹿来蹿去，邻居们都喜欢她。她还跟着外婆去上班，外婆的工厂生产拉链，妮妮学着大人的样子，用镊子给拉链排米。妮妮干起活来一声不响，见了人就腼腆地笑。大家都说妮妮是个好姑娘。

妈妈第一张照片是她的中学毕业照。在那张黑白照片上，妈妈梳了两根长长的麻花辫，穿一件中式的对襟小花袄，灿烂地笑着。妈妈的第二张照片上，妈妈和爸爸挨在一起，爸爸穿空军的军装，脸很瘦，两个人的表情都很严肃，还有点紧张，好像不好意思在一起拍照。

自从来到外公外婆的家里，妈妈就很少回乡下了。她叫亲生的爸爸妈妈"叔叔阿姨"，叫领养她的外公外婆"阿爸姆妈"。妈妈知道自己是被领养来的，但和外公外婆一点都不生分，而外公和外婆也从不避讳妈妈是领养来的，他们有时候会带着妈妈一起回乡下，去刘婶婶家里，住两夜。

　　妈妈大学毕业后，没有留在外公外婆身边。她离开上海，去了并不是太远的外地工作，而爸爸在小米五个月大时从部队转业了，到了另一个地方工作。爸爸和妈妈过一个月才能见一次。所以，小米和别的小孩不一样，她有四个家：妈妈的家、爸爸的家、外公外婆的家，对了，还有一个家在乡下，是亲生外婆的家。

第一次旅行

　　小米八个月时已经会很多本领了。她不仅能匍匐着在床上爬，还能用双手撑起小身体，灵活地爬来爬去，一边爬，一边嘴里咕哝着什么，仿佛要大人夸奖她。有时候，她还会扶着床架子站起来，小腿有劲地蹬啊蹬，可一不小心就会扑地一下跌坐在床上。最有意思的是，她的小嘴巴发出各种各样的声音，"啊啊""哦哦"，还会说类似"爸爸""妈妈""阿翁""阿扑"这样的音，外公外婆说，小米已经会叫人啦！

　　妈妈发现，当自己看书的时候，小米特别安静。她躺在妈妈身边，眼睛盯着妈妈手里的书，书页翻过，小米就惬意地闭一下眼睛。后来，妈妈试着把书递到小米手里。书太大了，小米的小手根本抱不住一本书，妈妈只好把书放在床上，让坐在旁边的小米伸手去抓。小米的手指轻轻触到书的纸张，妈妈以为小米会撕书，但小米没有撕，她用两只手吃力地掀过一页书，又掀过一页书，听着"丝啦丝啦"的翻书声，小米咯咯笑了。

外公说："这孩子将来一定爱读书。"

"要真那样可就好了。"妈妈说。

妈妈决定带小米去爸爸工作的地方探亲。妈妈是个胆小的人，连跟陌生人说话都会脸红，更别说独自一个人抱着宝宝提着行李坐火车去外地了。外公外婆都不放心，但妈妈坚持要去。爸爸已经有一个月没有见到小米了，妈妈很想让爸爸听小米叫他"爸爸"，他一定会高兴坏的。

天蒙蒙亮的时候，妈妈就抱着小米出门了。外公外婆帮妈妈提了行李，一直将她送到了火车站。妈妈的行李真不少，一只装了衣服、饼干、糖果的大行李袋，一只放了熟食水果的竹篮子，一只放了钱、奶瓶、尿布的背包，还有一个最麻烦的包袱——小米。妈妈上了火车，外婆隔着车窗千叮咛万嘱咐，问爸爸是不是知道火车到达的时间，如果搞错时间的话，妈妈可就惨了，她就算有三头六臂也没有办法把这么多包袱弄回家呀——

要知道，那时候可没有什么出租车。

火车开动了。妈妈喂小米喝了奶，便哄她睡觉。这是小米第一次坐火车，车身有一点晃荡，风从车窗缝隙里漏进来，吹得桌上的报纸一掀一掀的。车厢里挤满了人，每停靠一站，就上来很多人。不久，妈妈的座位旁已经站满了人，连落脚的地方也没有了。

车厢里越来越闷热，小小的空间里那么拥挤，挤得妈妈都没有办法腾出手来给小米换尿布。小米感到很不舒服，她哭起来，并且哭得越来越大声。

"给你讲个故事吧。" 妈妈对小米说，一边轻轻摇晃起怀里的小米。

于是，妈妈开始讲："从前啊，有一个王后坐在窗户旁，窗外的花园里积满了雪……"

但是小米还是哭。

妈妈从包里掏出洗干净的苹果，用小勺挖苹果泥给小米吃。可是吃进去的苹果泥又给小米吐了出来。

没有办法，妈妈有点烦躁了，她把苹果放在餐桌上，眼望着车窗外的风景，听任小米去哭。

这时候，对面座位上的一个老奶奶说："给孩子把外套脱了吧，她兴许是感到热了，出汗了。"

妈妈低头看看小米，马上感到很内疚。小米穿了一件妈妈自己织的绒线大衣，包裹得严严实实，小脸涨得通红，鼻子上沁出了细细的汗珠。

妈妈赶紧给小米脱掉了绒线大衣，又把车窗的缝开得大一些。小米慢慢安静了。妈妈向对座的老奶奶致谢："谢谢您提醒，看我，还真粗心。"

老奶奶说："谢啥，头一回当妈，又是头一回带孩子坐火车吧。"

妈妈点点头。

"你那么多行李……"老奶奶抬头看看行李架上的大包小包，"到站后有人会来接你吧？"

妈妈又点点头。

小米在妈妈怀里睡着了，直到快要到站了，小米都没有醒。妈妈起身望了望挤得满满当当的车厢，发起了愁：等车子停下，她怎样才能把小米和那些大包小包弄下车呢？现在这个样子，她单身一人挤下车都很困难，别说抱着小米，还要提那么多行李了。

妈妈把自己的烦恼说了出来。周围的乘客马上给她出起了主意。

"没关系，你一个人先挤下车，然后回到车窗这边来，我们帮你把宝宝和行李一样一样从车窗里递出去。"一个长得很敦实的伯伯说，他从上车起就没有说过话，现在却是第一个出主意。

他的话得到了其他人的赞同。大家七嘴八舌地商量，最终决定先传行李袋和篮子，最后再把小米递出去。因为行李可以放在地上，小米却必须让妈妈抱在手里。如果先传了小米，妈妈就没有办法空出手来接行李了。

火车到站了，但是站台上却不见爸爸的影子。

妈妈照着大家的意思先背着小包艰难地挤下车，然后心急火燎地赶到车窗边，挨个儿等着车上的人把大行李袋、竹篮子和小米传递给她。

妈妈刚刚接到小米，火车就"呜呜……"地鸣笛了，车轮慢慢转动起来。

妈妈抱着小米，恋恋不舍地朝车上的人挥手，就像和自己的亲人告别一样。她知道，这些人，她一辈子都不太可能再遇见了。

火车都跑得没影了，妈妈仍然没有等到爸爸。妈妈只好抱着小米在一张长椅上坐下来，她把行李袋和竹篮子挪到脚边，眼巴巴地朝四周张望。站台上空空荡荡，火车一趟趟呼隆隆地进站，爸爸却一直没有出现。

直到一个多小时后，爸爸才从远处奔过来。原来，粗心的爸爸记错了时间和火车班次。妈妈委屈地把小米塞到爸爸手上，眼泪扑簌簌地掉下来。

这是一趟多么艰难的旅行啊。

这是小米出生以后的第一次旅行。

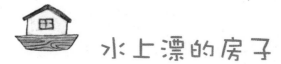

水上漂的房子

　　爸爸工作的地方在长江边上，爸爸的宿舍在二楼，打开窗户就能看到江水浩浩荡荡地流过。

　　妈妈抱着小米站在窗口望，泛黄的江水卷着波浪从西向东流个不停，有那么一瞬间，会产生错觉，仿佛江水是静止的，而房子却在动。

　　小米在妈妈怀里，用力地向外面探出身子去，小手张开，好像要去拥抱那奔流不息的江。她的嘴里发出各种各样的音：哦哦、啪啪、呜……还把小嘴撅起来，面朝着妈妈，意思是说：在动，在动。

　　"哦，在动，在动，是吗？"妈妈应和着小米。

这是一间在水上漂的房子。

小米常常会朝爸爸或者妈妈张开双臂，要他们抱起她，然后，用力地将身子倾向有窗户的那边，示意大人抱她去窗边看江。

在窗户外面，除了可以看到长江，还可以看到别的。在窗户的左前方，有一排农民的矮房子，农民用石头在矮房子旁边垒了一间猪圈，里面养着一公一母两只小猪。窗户的右前方，沿江长着一片密密麻麻的芦苇荡，人如果走进去，就会找不见。

有时候，爸爸会抱着小米去看农民的小猪。

猪圈那里很臭很臭，两只小猪看见爸爸抱着小米过来，就一齐拥到他们跟前来，哼哼着，朝他们拱鼻子。它们的嘴巴上沾了脏兮兮的东西，鼻孔周围的粘液闪闪发光。

爸爸以
为小米会害
怕，没想到小
米咯咯笑起来，
嘴里发出类似
"啰啰"的音节，
还伸出小手去够两只
小猪的鼻子。

爸爸赶紧抱着小米离开
了。小米趴在爸爸肩上，还是
不停地叫："啰啰，啰啰……"

有时候，爸爸会抱着小米去芦苇荡。

听着江水拍岸的声音，小米会安静下来，

清澈的眼睛定定地望着一处，像是在想什么。来到这个世界才八个月的小米会想些什么呢？没有人知道。

爸爸还会和小米玩捉迷藏的游戏。有一次，爸爸把小米放在一处干净的草丛里，趁小米不注意，偷偷溜进了芦苇荡。

小米回过神来，发现爸爸不见了。小嘴咧了咧，但没有哭。她翻过身子，试图爬出草丛。爸爸透过芦苇丛的缝隙观察着小米，他想看看这个小家伙接下来会有怎样的反应。他想好了，一有状况，他就马上冲出去。

小米的双手撑起身体，两条腿有力地交替爬行，她朝四周望望，还是没有哭，而是朝着芦苇荡爬去，爬了大约五米开外，前面有一块大石头挡住了路。小米愣住了，她的嘴巴瘪了瘪，眼泪开始在眼眶里打转。爸爸忍不住了，赶紧冲出来，一把抱起小米。

"这可是个犟脾气的小丫头，一点不娇气。"爸爸后来对妈妈说。

爸爸的同事们都很喜欢小米，见了面，就

爱用手去捏小米粉嘟嘟的脸蛋儿。小米呢，不躲也不哭，见人就咧开小嘴笑。她最喜欢叔叔或者伯伯抱她，不管是不是认识，只要是戴眼镜的男的，只要对方指指窗外说：去看"啰啰"，小米就会张开双臂要人家抱。然后，人家就真的抱着小米去看两只小猪了。

"我们家的小米呀，早晚会给人贩子拐骗走。"妈妈对爸爸开玩笑说。

把小米抱走

比起阿姨，小米更喜欢叔叔或者伯伯抱她，但有一个例外，小米特别喜欢马眉阿姨抱她。马眉阿姨也是爸爸的同事，一个开卡车的女司机，她的个子和爸爸一样高，扎个马尾辫，经常穿件灰色卡其布做的工作服，走路快得像风。见了小米，她就爱用手捏她的脸蛋。小米也不躲，嘟起小嘴巴，朝马眉阿姨吐口水泡泡。

"抱抱！"马眉阿姨又来了，她朝小米伸出双臂。

这个时候，小米要么在学步车里东走西走地探险，要么正坐在小椅子上让妈妈喂饭，胸前围着个粉红色的小围兜。

　　小米仰起小脸看着马眉阿姨，咧开嘴笑了。马眉阿姨更开心了："真讨人喜欢。"说着，就把小米抱起来，根本不在乎小米嘴上的菜汁弄脏了自己的衣服。

　　"亲一个！"马眉阿姨忍不住去亲小米胖嘟嘟的脸蛋，还说，"恨不得把你吞下去。"真是喜欢得不知如何是好了。

　　有一天，马眉阿姨央求妈妈，一定要把小米领回家去住一个晚上。

　　妈妈犹豫着。她有点不放心，马眉阿姨才二十出头，没有结婚，像个男孩子一样，她能照顾好一个小小孩吗？但是，妈妈拗不过马眉阿姨的恳求，不情愿地答应了。

　　爸爸对妈妈说："你怎么就答应了呢？马眉是我们单位里出了名的假小子，小米去她那里不知道弄成啥样。"

　　妈妈说："她那么喜欢小米，我也不好拒绝。她应该知道轻重吧。"

　　那天傍晚吃了晚饭，马眉阿姨就来领小米了。妈妈把装满奶瓶、换洗衣服和玩具的包包交

给马眉阿姨，千叮咛万嘱咐。

"睡觉前要先让小米尿尿。"

"她睡着了喜欢抓我的头发，说不定也会抓你的，会疼哟。"

"有时候，她还会半夜要东西吃，包里有奶瓶。"

"要是吃不消，随时把小米送回来。半夜里也没问题。"

还没等妈妈说完，马眉阿姨就抱起了小米。她抬起小米的右手，朝妈妈和爸爸挥了挥，开开心心地转身走了。

小米不哭也不闹，任由马眉阿姨抱着下楼，走进了夜色里。小米趴在马眉阿姨肩上，用手指着越来越远的有灯光的窗口，发出"屋屋、屋屋"的音。马眉阿姨知道，小米在说，那是她爸爸的家。

"明天就送你回家，乖。"马眉阿姨说。

小米不做声了，睁大眼睛好奇地看江边的夜色。正是满月的时候，一轮奶油色的圆月挂在天上，它倒映在江面上，被流动的江水揉得皱巴

巴的。轮船"呜呜"地鸣着笛，从江上慢慢地开过去，江水皱起一圈又一圈的花边。小米指着船，撅起嘴，说："呜……"

"是大轮船，小米看到大轮船啰。"马眉阿姨说。

小米把手捂在嘴上，快速地轻轻拍打，嘴里继续发出"呜——"的声音，那"呜——"的音就变成了断断续续的"呜、呜、呜、呜"，小米被自己逗笑了。

马眉阿姨的宿舍也临江，和爸爸的宿舍并排。她把小米抱进房间，把她放在床上。小米专心地坐在枕头边玩拨浪鼓。

马眉阿姨回头看了一眼小米，拎起空了的热水瓶，准备出门去打开水。开水炉离这里不远，她想很快就能回来，于是，她把门虚掩上，便出去了。

走不多远，只听"嘭"的一声，门被风关上了！马眉阿姨一惊，开水也不打了，急急忙忙往回赶。"小米千万别有事。"她一边跑，一边祈祷着。

宿舍的门上有个气窗，但很高，不找个凳子垫着就无法看见里面的情况。

马眉阿姨想去找小米的爸爸妈妈帮忙，但犹豫了一下，还是放弃了。小米妈妈好不容易答应她把小米抱回来，不出一小时就出这样的事，这怎么说得过去？

她拍打着门，呼唤小米的名字。

但小米还不会说话，就是听见也无法回答她。

小米正在床上玩耍，要是她不小心摔下了床，那可怎么得了。马眉阿姨越想越害怕，把热水瓶一放，飞快地跑下楼去找门卫。

"帮帮忙，师傅，帮我把门撬开。"她央求门卫。

"没带钥匙吗？你都第几次了，换过三把锁了吧？"门卫一边取笑她，一边手忙脚乱地找工具箱。

"快点儿，求求你了，里面有个小毛头，要是有个三长两短，我可就……"马眉阿姨急得眼泪都快掉下来了。她想象小米四顾无人，会哭着找妈妈，然后爬到床边，栽到地上，摔得头破血流……

"什么？有个小孩？"门卫迷惑不解。

"别多问了，快跟我走吧！"

"糟了，今天工具箱给人借走了，说明天才能还。"门卫找了半天，如梦初醒。

"那怎么办？"马眉阿姨真的要哭了。

"没事，用脚踹吧！"门卫说。

顾不得那么多了，两人急匆匆地往楼上跑。

"小米，阿姨来了。"马眉阿姨冲着门里说，可里面什么声音也没有。

"会不会出事了？"马眉阿姨紧张地盯着门卫的脸。

"别多说了，我先跳起来看看。"门卫的个子足足有一米八，跳起来时，刚好能够透过气窗看见屋里的情形。

"看见了吗？看见了吗？"马眉阿姨在旁边着急地问。

"没看见，再跳一次。"门卫说。

"看见了吗？"

"没，我再跳一次。"

"你……我都急死啦！"马眉阿姨带着哭腔道。

　　"你用报纸把气窗封死了，让我看什么啊！"原来是这样。

　　"撞门吧。"马眉阿姨乞求道。

　　于是，两个人用足力气朝门撞过去。

　　"嘭！"整个楼道都听见了。

　　"嘭嘭！"整栋宿舍楼都听见了。

　　"嘭嘭嘭！"连小米爸爸的宿舍楼都听见了。

　　有人开门探出头来张望。

　　马眉阿姨就尴尬地向人赔笑："对不起啊，忘带钥匙了！"

　　"嘭嘭嘭！"终于，在撞到第十下的时候，门被撞开了。

　　"小米！"马眉阿姨疯了一样奔了进去。

　　谢天谢地，小米安然无恙地坐在床上，手里拿着拨浪鼓，朝马眉阿姨笑呢。

　　幸好小米还不会说话，无法向爸爸妈妈转述这场虚惊。她当然也不明白，这天晚上睡觉的时候，马眉阿姨为什么搂她搂得那么紧，好像生怕她会逃掉一样。

害羞的奶瓶

　　小米太小，妈妈要工作，没有办法把她带在身边，只好把小米托付给外公和外婆。小米在外公外婆家里闻到的气味和妈妈小时候闻到的气味是一样的，那是一种淡淡的酸醋味。只是，在小米出生以后，外公已经很少做红木摆件了，他从小提琴厂退休后，把做红木摆件当做了业余爱好。有时候，会有金发碧眼的外国人到家里来，一样一样欣赏博古架上的小摆件，然后挑中其中的一样或者几样，买走。博古架上的摆件一件一件地少掉，但没过多久，小米就会看见外公坐在那里，用锉刀在颜色乌红的木头上打磨。博古架上的小东西又会慢慢多起来。

　　小米觉得外公的手会变戏法。她喜欢看外公用铅笔在纸上画画。

　　"这是什么？外公。"小米用手点着纸上的线条问。

　　"是龙。"

　　"龙是什么？"

　　"龙是神话里的动物，它有虾的眼睛、鹿的角、牛的嘴、狗的鼻子、鲶鱼的须、狮子的鬃、蛇的尾巴、鱼的鳞，哦，还有老鹰的爪子。"外公说得很慢很慢。

　　"龙可以吃吗？"

　　"我们见不到真的龙，所以不可能吃龙。"

　　"真的龙在哪里呢？"

　　"我也不知道，"外公摸摸小米的脑袋，"它大概在人们心里吧。"

　　"我要外公带我到动物园里去看龙。"

　　"哦，"外公说，"我也希望能在动物园里见到龙。"

　　外公说着，搁下手里的铅笔，把小米抱到腿

上。小米调皮地从外公的大腿上往下滑，就像在公园里玩滑梯，或者，干脆趴在外公的小腿上，让外公的小腿一荡一荡，就好像玩跷跷板一样。

在大多数的时候，小米是愉快的，但她偶尔会想妈妈和爸爸。她知道，妈妈和爸爸在很远的地方，只要她乖，过些日子就能见到他们。

想妈妈的时候，小米就会用奶瓶喝水。夏天的傍晚，外婆给小米洗了澡，搬一把小竹椅，让她坐在弄堂里乘凉。小米的手里拿一只奶瓶，津津有味地吮吸里面的酸梅汤。

邻居小乐哥哥和兰兰姐姐正在弄堂里捉迷藏，他们看见小米便走了过来。小乐哥哥和兰兰姐姐是一对兄妹，住在小米家的楼上。小乐哥哥八岁，刚上一年级，兰兰姐姐六岁，在上幼儿园大班，两个人经常在家里打架，把地板蹬得咚咚响。

这会儿，小乐哥哥和兰兰姐姐并排站在小米面前。

"你在喝什么？"小乐哥哥问。

"酸梅汤。"小米举起了奶瓶。

"你几岁了？"

"四岁。"小米伸出四个手指。

"这么大的人，还好意思喝奶瓶。"兰兰姐姐说。

小米愣了愣，在这之前，还没有人对她说过，喝奶瓶同年龄有什么关系。这只玻璃奶瓶小米从小毛头的时候就开始用，每次用前，外婆都会用开水消毒，还换过几次奶嘴，瓶身还保护得很好，像新的一样。

"把奶瓶给我。"小乐哥哥朝小米伸出了手。

"为什么要给你？"小米把奶瓶抱在胸前，警惕地反问。

"把奶瓶扔掉，这么大的人，喝奶瓶，不知道害羞。"兰兰姐姐强调说。

说完，兄妹两个人一边用手指刮自己的脸，一边朝小米吐舌头："老面皮★，吃奶瓶，长奶癣，老面皮，吃奶瓶，长奶癣！"

小米脸涨得通红，更紧地抱住了奶瓶，生

★注：老面皮，厚脸皮的意思。

怕被他们抢了去。

但两个小家伙并不罢休，他们嚷得更大声了："老面皮，吃奶瓶，长奶癣！"不仅说，还用音调唱了出来。两个小人围着小米转圈，时不时伸出手来吓她一下。

小米终于由害羞而变得愤怒了。

当小乐哥哥再次靠近她的时候，她冷不防举起了手中的奶瓶。脱落的奶嘴掉在地上，里面的酸梅汤顺着小米的胳膊淌下来，淌到她的胳肢窝里，也淌到刚换的花裙子上。小米的身上，白一块、紫一块，模样很奇怪。眼泪在小米的眼眶里打转转，她嘟起嘴说："你们再说，看你们敢再说！"说着，就要把奶瓶当手榴弹朝他俩扔出去。

看到小米的样子，小乐哥哥和兰兰姐姐惊

呆了。他们停止了唱歌，转过身撒腿跑掉了。他们真怕小米会把奶瓶扔过来！

　　以后，当外婆再用奶瓶给小米装水的时候，她就会在旁边闹，怎么也不肯用了。小米终于告别了奶瓶，尽管有一点点晚。

老房子的四个季节

春：五颜六色的篮子

外公在老房子的天井里种了一些花花草草，这些泥盆子挤挤挨挨地站成队，像士兵一样立在一口水井和公用水龙头旁边。

每到春天，泥盆子里就会开出一些好看的花，粉红的、淡紫的、鹅黄的……但统统叫不出名儿。花瓣儿好像皱纸做的，软塌塌地垂在花茎上，匍匐在盆沿上，懒洋洋、娇滴滴。

小米常常趴在客堂间的木窗台上看盆里的花，

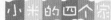

还看那些在天井里做家务的阿姨、婶婶和婆婆。

这里总是很热闹。

小米一觉醒来，外婆也买菜回来了。外婆的菜篮子里常常变花样，有时是碧绿碧绿的菠菜、莴苣或者蚕豆，有时是黄澄澄的小黄鱼、泛着银光的长条带鱼，外婆也会买来紫色的茄子、红色的草莓和黑色的荸荠……小米最喜欢外婆的菜篮子，小小的篮子里好像装了一个五颜六色的春天。

外婆和邻居的阿姨、婶婶、婆婆在天井里择菜、洗菜，聊天、说笑话，互相交流菜价，谁买贵了，谁得了便宜，她们喊喊喳喳讨论着，小米就算想睡懒觉也睡不成啊。

"看我的蚕豆多好，中午送点过去给你尝尝。"这是外婆的声音。

"对了，客堂间姆妈，我这次腌的醉蟹已经可以吃了，等会送过来，你家小米不是喜欢吃嘛。"宁波阿婆回外婆说。

小米听得口水要都掉下来了。宁波阿婆会腌制世界上最好吃的醉蟹，滋味鲜美极了。

住在这样的老房子里，永远都不会有寂寞的时光。

除了这些热心的阿姨婶婶婆婆，小米还有自己的玩伴儿，虽然小乐哥哥和兰兰姐姐时常会欺负她，但大多数时候他们还是很有趣的，他们会带着小米一起玩，捉迷藏、办家家、丢手绢、装木头人……反正，什么游戏好玩就玩什么。还有住在亭子间里的茵茵，她才两岁，爸爸妈妈也不在身边，由奶奶带着。他们三个人轮流做茵茵的小爸爸小妈妈，他们帮茵茵扎洋葱头辫子，把天井里的花摘下来装饰她的头发，还给她喂饭吃，哄她睡觉，或者抓她的脚底心，挠痒痒，把她逗得咯咯乱笑。

春天的时候，脱去棉袄，身子轻了好多，简直可以飞起来，伙伴们可以到弄堂里和马路上去疯。小米他们最喜欢去的地方，是马路拐角的一家烟纸店，那里除了卖香烟、草纸、雪花膏和酱油，店里的柜台上还摆放了一排亮晶晶的玻璃罐，瓶子里装满各种各样的糖果、蜜饯和鱼皮花生。关于这家烟纸店的故事，我们

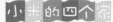

稍后就会说到。在小米眼里，这是一家神奇的小店。

夏：狼外婆？真外婆？

夏天的时候，小米在一只半月形的澡盆里洗澡。澡盆放在房间中央，用香皂洗过一遍身体以后，水就变成了乳白色，上面还漂了好些雪花样的东西。外婆说，这是小米身上的泥。

"真脏！小泥人！"外婆说着，还捏住了鼻子，好像闻到了小米身上的臭味。

"我真是泥巴做的吗？外婆，快给我多搓搓。"小米说。

外婆换了一盆温热的清水，又给小米擦拭一遍。小米伸直了脖子，小猫一样地闭上眼睛。

趁外婆去倒洗澡水的工夫，小米已经奔到了弄堂里。那里坐了好多好多人，摆了各式各样的小竹椅、小板凳、小桌子、竹躺椅，把弄堂占得满满的。有人家围着小桌子喝酒吃饭，也有人打牌聊天，还有些人凑成一堆讲故事。

弄堂里来了一个姐姐，名字叫海英。海英十三岁，从青海来上海的爷爷奶奶家里过暑假。没多久，海英就成了弄堂里的孩子王。她把所有的小孩都吸引住啦，知道为什么吗？因为海英特别会讲故事。

"从前……"海英通常会这样开头。

"从前有一家人，妈妈、爸爸，还有四个孩子，有一天，爸爸妈妈外出了，留下几个孩子在家。"海英说，"傍晚，有人来敲门，孩子就去开了门。发现是一位蒙面的老太婆。老太婆说：'我是外婆，快开门。'"海英把自己的声音压得低低的。

大家紧张地竖起耳朵听。

"孩子半信半疑地开了门。让外婆进门后，孩子们高兴地泡茶，让座。但是外婆却说：'不啦，椅子坐着不舒服，拿一个炭盆给我坐就好了。'孩子们很奇怪，但还是照做了。"海英继续讲。

"晚上，外婆让孩子和她一起睡。半夜里，孩子们听到咯吱咯吱的声音。于是他们问外婆：'外婆！吃什么呢？我也要！'外婆就回答：'我啊，在吃金枣。''我们也要吃！'于是外婆就拿了一只给孩子们。当孩子们拿到时，才发现是一只手指……"

"后来呢？"听故事的小孩吓得脸煞白，但还是一个劲儿地问，"海英姐姐，再讲讲狼外婆的事吧，她把小孩子都吃掉了吗？"

"嗯，"海英故意卖个关子，反问他们，"如果你们是四个孩子里面的一个，你们会怎么做，能不能从狼外婆手里逃掉呢？"

于是，孩子们就七嘴八舌地说开了。

小乐哥哥说："我们烧一锅开水，浇在狼外婆的尾巴上，把她烫得哇哇叫。"

兰兰姐姐说："我们在地上撒满钉子，狼外婆下床上厕所，踩得她满脚都是钉子，她就没法走路啦。"

轮到小米，小米说："我，我就求求狼外婆，不要吃掉我们，不要吃掉我们，我给你买糖吃。"

大家哄的一声笑起来。

小乐哥哥模仿狼外婆的样子，朝小米伸出"爪子"："你还没说完，狼外婆就啊呜一口吃掉你了！"

小米害怕地向后缩了缩身子，转过身，跑回家去了。

到了晚上，小米怎么也睡不着。月光透过花格子窗射进来，照在外婆的身上。外婆睡着了，小声打着呼噜。小米借着月光看外婆的脸，外婆的脸被月光映得一片黑一片白，样子很陌生，小米想着白天听来的故事，心里害怕起来。

她感觉面前躺着的很可能是狼外婆，她会突然睁开眼睛，"啊呜"一口把自己吃掉。小米越想越害怕，又不敢吵醒面前的"狼外婆"，她轻轻地把身体朝床边挪了挪。外婆却闭着眼睛伸手把她往自己身边拉，小米越往后挪，外婆把她抱得越紧。难道外婆睡着了也能看见东西吗？小米紧张得浑身都僵硬了。她想哭，却不敢，辛苦地挣扎着，最终挡不住袭来的睡意，不知不觉睡着了。

第二天早晨，小米醒来第一句就是："外婆，你是狼外婆吗？"

外婆给小米套上带小花的连衣裙，狠狠地看了她一眼，说："胡说什么，外婆给你洗脸刷牙。"

小米已经五岁了，还要外婆帮着穿衣服、洗脸。

刷完牙、洗完脸，小米坐在窗边吃外公买回来的小馄饨，外婆坐在旁边给她扇扇子。小米想："这不是狼外婆，一定是真的外婆。"

明亮的白天开始了，一切又恢复了老样子。

秋：会飞的叶子

在老房子的门外，有一株粗壮的银杏树。外公说，这棵树一百岁了。秋天时，因为这棵树，老房子变得比任何季节都美。银杏树叶黄得很灿烂，它们落下来，铺了满满一地。小米和伙伴们在树下疯跑，追逐在半空中飞的叶子，就像是追逐金黄的蝴蝶。

叶子有的飘向地面，有的越过围墙飘到另一边去了，还有的，被一股大风吹着，朝着天空飞去，不知道要飘向哪里。

小米能追到落向地面的叶子，却抓不住飘往天空的叶子。

她让外公抱起她，急切地恳求："外公，叶子飞到天上去了，我们找它去！"

外公举起小米，指着天边的乌云说："快要下雨了，路太远，我们明天再去。"

小米说："那我们可以坐着云去呀。"

外公眨眨眼睛，不知道该怎么回答她。

但是很快，望着聚拢了的乌云，小米改了主意："外公，快给我拿块毛巾来。"

外公有些纳闷，但还是拿来了毛巾。

小米让外公抱起她。她手里拿着毛巾，用力向外伸着身子，去接近天空。

"你这是干什么？"外公不解地问，"外

公抱着你好累呀。"

小米叫道："外公，天这么黑，我要给她洗洗脸！"她的小脸涨得红红的，为乌云弄脏了天空而气愤不已。

小米自然没有能够如愿。一颗很大的雨珠掉在她的头上，渐渐，雨下成了一片。

"放我下来！"小米挣脱了外公，转身向家里跑去。

"外婆，外婆，我的新套鞋呢？"小米焦急地叫道。

外婆正坐在小板凳上择豇豆，听小米叫，只好起身去给她找套鞋。套鞋是前些天给小米新买的，粉红色，鞋帮上还装饰了两只蝴蝶结。自从买了新套鞋，小米天天盼下雨。

小米迫不及待地穿上新套鞋，又跑了出去。

她打着小花伞，绕着银杏树走来走去。银杏叶被风吹着，在雨里飘。淋了雨的叶子已经飞不远了，它们乖乖地落在小米的新套鞋上，无声无息地，好像给新套鞋又戴上了一朵金黄色的蝴蝶结。

冬：雪人的呼吸

早晨，小米赖在床上不肯起来，还缠着已经起床的外婆陪她睡懒觉。外婆宠她，果真脱下刚穿好的棉袄，又陪小米躺下了。

但窗外却热闹起来，外面的雪光反射进来，把客堂间照得一片银白。

"今天菜都涨价了。"这是宁波阿婆的声音。

"我们家的两个小祖宗，一大早就冲出去疯了。"是小乐奶奶在幸福地抱怨。

外婆坐起身，说："小米，你不想看雪吗？"

"想！"一直迷迷糊糊的小米一下子清醒

了，她坐起来，乖乖地让外婆给她穿上衣服。

推开窗子，窗框上的积雪扑簌簌地落进来；打开房门，冰凉冰凉的雪粒子被风吹着往里面跑。

还没吃完早饭，小米就急着往外面赶。

下了一夜的雪，老房子完全变了模样儿。房檐上挂下长长短短透明的冰棱子，仿佛能奏出好听的音乐；井盖被雪覆盖了，变成了一只白蘑菇。弄堂里已经没有路，雪白雪白的地上印着无数个大大小小的黑脚印，还有纵横交错的车辙印，银杏树的叶子落光了，它的枝干被白雪包裹着，成了神秘的童话树，而树干上没有被雪盖住的节疤，看起来就好像一只只黑洞洞的眼睛。

外公走到门外来，蹲下身子，把地上的雪堆成一小堆。渐渐地，那堆雪就成了人的样子。

外公冲小米招招手："过来。"

雪还在下，雪粒子很细很轻，掉在身上一点感觉也没有。

小米和外公一起把地上的雪滚成一只雪球，这就是雪人的脑袋了。外婆从家里拿来两只

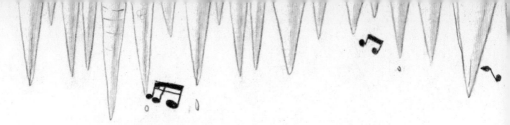

煤球，做成雪人的眼睛，用胡萝卜做长鼻子，用
一截弯弯的枯树枝做嘴巴。

　　雪人的样子基本上出来了。可是外婆说这
还不够。

　　她又拿来一顶旧帽子，一条旧围巾，把雪
人全副武装起来。

　　小米拍着冻红的小手，跳起来，激动得脸
都红了。

　　雪还在静悄悄地下。外公揽过小米，用
一只手捂住小米的眼睛。

　　"跟外公说说，你听到了什么？"他轻声问。

　　"什么声音也没有啊。"小米说。

　　小米集中注意力，仔细地听。她听到一点
点窸窸窣窣的声音。

　　"那是雪从树枝上掉下来了。"外公说。

　　小米还听到吱吱的声音。

　　"有人从雪上面走过去了，是鞋子和雪摩
擦的声音。"

小米偎依在外公胸前更加专心地听。她听到了外公的心跳，扑通扑通，很有力，还有自己的心跳，很轻微。

小米告诉了外公。

"好，我们再安静地听一下，告诉我你感觉到了什么？"

"小雪人在呼吸。"小米说。

外公摸摸小米的头，说："哦，让我也听听。"

小米抬头看外公，见外公在微笑。

外公告诉小米，到了明年的春天，妈妈就要把小米接过去一起生活了。在小米去妈妈那里之前，外公和外婆要带小米去一次乡下。那里是小米的亲生外婆的家。

神奇的烟纸店

　　如果问小米，除了外公和外婆的老房子，最喜欢的地方是哪里？小米一定会一字一顿地告诉你：烟、纸、店。

　　烟纸店在马路的拐角上，里面样样都卖。烟纸店里有两个店员，一个是胖胖的老头儿，脑袋光光的，只长着几根白毛；另一个是瘦瘦的阿姨，瘦得像个纸片儿，随时要被大风吹走似的。外婆有时让小米抱着酱油瓶去打酱油，胖老头和瘦阿姨都认识小米，他们会摸一下她的脑袋，接过酱油瓶，在瓶口放一只漏斗，再用一只长柄连着的小吊桶，把酱油一勺一勺灌进瓶子里。

　　如果是夏天，小米也会主动要求为外公去买黄酒，顺带着买一支盐水棒冰。买回家，黄酒归外公，盐水棒冰归自己。外公把棒冰浸在黄酒里，做成了冰镇黄酒，拿出来的棒冰也带有了一股酒味，给小米吃。小米小小年纪，也算得上会"喝酒"了。

　　烟纸店的地上堆着大桶大桶的酱油和黄酒，不过，最吸引小孩的是放在柜台上的大口玻璃罐。里面装着鱼皮花生、青津果、话梅、桃板、炒香瓜子、挂着糖霜的脆脆的油枣、五颜六色的弹子糖。付一角钱，胖老头和瘦阿姨就会拧开大口罐，用一个抄子抄两下出来，摊在一张方方的牛皮纸上，然后包成三角形的一包，递给小米。

　　小米口袋里的零钱全都花在烟纸店里了。所有的零食小米都想吃，但她的兴趣不固定。有一阵，她迷上了嚼水果味儿的泡泡糖。

　　这种泡泡糖是长条形状的，外面用蜡光纸包着，纸上印了两个扎辫子的小姑娘，坐在一只热气球上，嘴巴里在吹泡泡。

小米一天到晚都在嚼泡泡糖。外婆做饭的时候她在嚼，给她洗澡的时候她在嚼，出去玩耍的时候也在嚼，只有吃饭的时候不嚼。

　　"你这样会把牙齿吃坏的。"外婆警告她。

　　小米的牙齿已经坏了，她有个坏习惯，喜欢嘴巴里含着巧克力睡觉，该换牙的时候，一排门牙都蛀成了可怕的黑颜色。

　　"不怕，外婆，"小米说，"妈妈说，等我换好牙，就会长出新牙齿的。"

　　"你这么爱吃糖，长出来的新牙齿也是黑的。"外婆说。

　　"真的吗？"小米有些信了，"可是，外婆，我要像糖纸上的小姑娘一样，吹出很大很大的泡泡，让自己飞起来。"

　　说着，小米吹出了一个泡泡。噗的一声，泡泡破了，粘在她的鼻子上。小米用手把鼻子上

的泡泡糖取下
来，重新放进嘴里嚼。

　　"我要告诉你妈妈去，
管不住你了。"外婆抱怨道。妈妈总是怪
外婆太宠小米，好在不用多久，小米就
可以到妈妈身边去生活了。妈妈在她工
作的地方给小米找好了一家幼儿园。

　　但小米好像没有听见外婆的话，
她迅速地嚼着泡泡糖，用力地朝半
空吹泡泡，还踮起脚跟往上跳，好
像随时都会和泡泡一起升到半空
中去。

　　当然，你很清楚，小米的
愿望最终会成为肥皂泡，噗
地，就破了。

再宠小米一次

外婆总是说：小孩就是要宠的。

可是妈妈说：小孩是要做规矩的。

有一次，妈妈回上海探亲，看到外婆每天早上还要给小米穿衣服，小米不让外婆起床，硬拽着外婆陪她睡懒觉。妈妈就对外婆说："姆妈，你不能顺着这孩子，会给宠坏的。"

"小孩长大了就没人宠了，趁孩子小，多宠宠她。"外婆说。

"那我小的时候，你怎么不宠我？"妈妈说。

外婆不做声了。妈妈小时候，外婆忙着上班，家里经济条件也不好，妈妈没有新衣服，也没有零食，七八岁就已经学会买菜做饭了。

　　妈妈的童年没有得到足够的爱，有一次，妈妈和外婆吵架，说了好多小米听不懂的话。妈妈说："你们年轻时候根本顾不到我。阿爸做生意亏本了，脾气坏极了。他一发脾气，你就哄他。你还给他洗脚……"

　　妈妈从来没有说过对外公和外婆的不满，却在这时候说了出来。外婆有些意外，她什么也没说，沉默了很久。妈妈也不再说什么。但自那以后，妈妈时常会收到外婆寄来的包裹，都是些妈妈爱吃的猪油花生糖之类的零食，还有从布店里买来的各种花样好看的衣料。

　　外公和外婆是想在小米身上弥补爱吧，所以，小米得到了她能得到的所有的东西。

　　离外公的老房子不远，就是有名的豫园——这个城市最热闹好玩的地方。那里有各种各样的小商品店，扇子店、纽扣店、拐杖店、刀剪店、筷子店、假发店、帽子店、梨膏糖店、文房四宝店……凡是你能想出来的店，那里都有。所有的店都很有名，不过，最有名的还是南翔小笼包店。

晚饭后，小米经常跟着外公外婆去豫园散步。走走九曲桥，看看桥下的红鲤鱼，爬爬豫园门口的石狮子，做什么都很有趣。每次去，都能看到南翔小笼包店门口排了很长的队，从店里飘出甜滋滋的肉香和面香……小米还没有吃过这里的小笼包。

外公向小米宣布，去乡下以前，外婆会带小米去吃一次南翔小笼包。小米是吃过小笼包的，那都是在饮食店里买的，用钢精锅装回来，她从来没有正儿八经地在饭店里吃过。小米知道，在饭店里吃，和买回家里吃是不一样的。

小米天天盼着去吃南翔小笼包，她想象着小笼馒头的美味，想着想着，口水就掉下来了。

终于盼到了这一天。早上起来，外婆郑重其事地说，今天，她要带小米去吃南翔小笼包了。

到了中午，外婆换上出门

做客才穿的新衣服，小米也穿
上了新的尼龙布面的棉袄。到了
南翔小笼馒头店，像往常一样，有
很多人在排队买筹子——因为人太多，必须
凭筹子，服务员才会送上小笼包。

外婆给小米找了个座位坐下，叮嘱小米
"坐着，不要走开"，自己去排队了。

这是一个长方形的小桌子，可以面对面坐
四个人，桌上放着装醋和酱油的调料瓶。小米的
对面已经坐了一个年轻的阿姨，她盯着小米看，
脸上带着微笑。阿姨面前放着两层装小笼包的笼
屉，每层笼屉里装了八只小笼包。那阿姨已经吃
完一笼了。

小米被看得不好意思，也朝阿姨笑笑。

阿姨问："小朋友，谁带你来的？"

小米指了指排队的人，
说："是外婆。"

"喜欢吃小笼包吗？"

"喜欢。"

正说着话，外婆回到座位上来了。

又过了一会儿，服务员端上了一个笼屉。笼屉一打开，白哈哈的蒸汽熏了小米一脸，小米幸福地说："真香啊。"

外婆把醋倒在一个小碟子里，又用筷子夹了一只小笼包放在调羹里，让小米拿着吃。但外婆自己却没有动筷子。

南翔小笼馒头果真和用钢精锅装回来的小笼包不一样啊。面皮那么薄，透明的，看得见粉红色的肉馅，里面包了很多汁水。它躺在调羹里，汁水就在面皮里晃动。小心地咬一口，就把汤汁吸出来了，真鲜！

小米一口气吃了六只，笼屉里只剩下两只了。

对面的阿姨一直看着小米吃，这时，忍不住说话了："阿婆，你就让孩子一个人吃吗？"

外婆说："对，让她一个人吃。我吃过了。"其实，外婆根本没有吃过中饭。

阿姨又说："这么小的小孩，怎么吃得下

八只小笼包？"

外婆说："她吃得下。"说着，又给小米喂了一只。

但这只小笼包，小米没有咽下去。

她听见了阿姨的话，也明白了阿姨的意思，她还知道，外婆根本没有吃过中饭，可是外婆为什么不肯吃小笼包呢？

小米脸红了，这时，她觉出自己不对了。

她用调羹很不熟练地舀起笼屉里最后一只小笼包，颤悠悠地放到外婆面前的小碗里。

"外婆，你吃。"小米说。

"不，你吃。"外婆说。

"不，外婆吃。"小米固执地晃动着自己的小身体。

外婆拗不过小米，只好吃下最后一只小笼包。

"真香，真好吃，这是外婆吃过的最好吃的小笼包。"外婆说。

小米笑了，她觉得，看外婆吃小笼包，也是很开心的事情啊。

去乡下喽

自从知道外公外婆
要带她去乡下，小米就
一天没有消停过。一
切都围绕着旅行，每
件事情她都会和旅行
挂起钩来。

　　她很早就开始为自己准备旅行用的东西：一只企鹅形状的水壶、可以折叠的旅行用塑料杯、带在路上玩的发条鸭子、两枚蝴蝶结形状的塑料发卡、一本卷了边的《小马过河》图画书，还有一个红底白点的人造革小钱包。

　　她拿出自己的小猪储蓄罐，央求外公把里面的钱取出来。她把几个五分硬币塞进了自己的小钱包，把余下的硬币全部交给外婆，一定要外婆收下，说要作为他们去乡下的路费。但随便怎么说，外婆都不肯要。

　　"等外婆老了，没有钱了，再跟小米要。"外婆最后说。

　　"好的，外婆要记得跟我要哦。"小米这才肯把储蓄罐放回去。

　　从小米记事以来，这是第一次旅行。以前跟妈妈去爸爸的家不算，那时候的情形，小米根本不记得。这次不一样。这不仅是一次非常正式的旅行，而且，在这次旅行过后，小米就要回到妈妈那里，开始另一种新生活了。

外公告诉小米，在乡下，有很多可以玩的东西。

"可以去小河里捉虾捉螃蟹，可以钓鱼，"外公说，"还能上树掏鸟蛋。"

"真的吗？"小米问。

"当然是真的，乡下可比城里有意思得多。"外公说，他用锉刀锉着一件小鸟形状的红木摆件，嘴巴一吹，木屑就飞起来。

就在他们准备动身去乡下之前，却遇到了一件糟糕的事情——外婆生病了。

外婆躺在床上，脸色像纸一样白，她时不时要爬起来呕吐，还老是要上厕所。外婆说，她是吃坏肚子了。家里的剩菜和剩饭，外婆舍不得倒掉，总要吃下去。

医生说：外婆得了急性肠胃炎。

外公给外婆煮粥吃，外婆吃得很少，有时候根本不吃东西，也不喝水。下午的时候，外婆半靠在床上，闭着眼睛。

小米蹑手蹑脚地靠近外婆，看到外婆这样，她问外婆："外婆，您是不是死了？"

外婆睁开眼睛，抱住小米："外婆还没有用上小米储蓄罐里的钱，不会死的。"说着，朝小米眨眨眼睛。

小米扑到外婆怀里，哭了起来："外婆不可以死。"

外婆说："我很快就能起床了，外公已经把去乡下的火车票买好了，你亲外婆还会去火车站接我们呢！"

"我不要什么亲外婆，我只要您一个外婆！"小米摇了摇脑袋。

外婆说话算话，没过几天，她果真好了起来。不但下了床，还能买菜做饭了。

不久就到了动身去乡下的日子。外公和外婆都背了不少行李，行李里塞满了各式上海产的糖果、糕点、衣料、丝绸，小米也背了一只可以用来斜背的小书包，把她准备了很久的随行用品都装了进去。

外婆告诉小米，到了乡下，不仅能够见到

71

她的亲生外婆，还可以见到爸爸和妈妈。他们到
乡下的第二天，爸爸妈妈也会到，他们将在乡下
过一个开开心心的团圆年！

河边的家

火车还没停稳，小米就看见一个老太太在站台上跟着火车跑。外婆激动地趴到车窗口，对外公说："看，刘婶婶已经到了！"

那个刘婶婶就是小米的亲外婆，长到五岁，小米第一次见到她。还没等小米站稳，她就冲上前给了个大大的拥抱。小米感觉自己像沉进了一个羽绒枕头里，几乎透不过气来。

"盼星星盼月亮，总算到了！"真是个大嗓门，"我都等了一个钟头啦！"她不容分说地接过外婆的行李，大踏步地往前走。

他们坐上一辆快要散架的生锈的汽车，上面除了人，还有了母鸡、公鸡、鹅、鸭子、刚出生的小猫、装在篓子里的鱼、用麻袋装的咸鱼和腌肉……一车子的人和动物晃荡了一个多小时才到达目的地。

　　这就是乡下外婆的房子。它坐落在河水和草丛之间，黑瓦片、白灰墙，墙上开了两扇窗。房檐上挂了咸肉、酱油肉、凤鸡、青鱼干，房子门前还有一块菜园子。因为是冬天，菜园子里啥也没有，只有一棵歪歪斜斜的腊梅正开着喷喷香的花。

外婆指着门前的河对小米说："当年你妈妈就是站在这条河边，被我领走的。"

乡下外婆用力拉开大门，一股干燥的稻草香扑鼻而来。"跟我来，"她大声说着，把外公外婆和小米领了进去。

这栋房子里有四个房间，中间是会客的堂屋，两边的小房间用来睡觉。再后面的那间是厨房，里面有个大炉灶，灶台上还画了红红绿绿的花。

乡下外婆安排外公外婆和小米睡在西边的房间里，爸爸妈妈来了以后住东边的房间。把他们安顿好，乡下外婆就开始给炉灶生火。

小米第一次看见这样的炉灶。上面是锅台，下面是炉门，还有一根大烟囱通到房子外面。乡下外婆把柴火和稻草扔进炉灶下面的炉门里，调节着火势。灶膛里飘出了浓烟，小米的眼泪也呛了出来。

外婆帮着乡下外婆烧火做饭，外公去了附近溜达。

铁锅里在煮饭，饭上面还蒸了碗咸肉，那又甜又鲜的香气飘得满屋子都是。

乡下外婆到河边去挑水，用扁担一前一后挑了两个和小米一样高的水桶，还走得飞快。小米看呆了。

一只肥胖的猫跟在乡下外婆身后，笃悠悠地看风景。还有一群鸡，被一只大白鹅率领着，来来回回地奔跑，不知道要忙乎啥。一只大黄狗蹲在大门口，样子很威严。

在柴房里，小米还有新发现。草筐里，居

然养着两只小白兔，它们正抱着白菜叶子，咯吱咯吱啃。小米蹲下身子，开始观察它们。

那么可爱的毛茸茸的小身体，那么长的耳朵，那么温柔漂亮的红眼睛，它们用两只前爪抱住白菜叶，小口小口秀气地吃，但咀嚼的速度很快，就好像是缝纫机的针尖踏过一样。

小米不知不觉也学着小兔子咀嚼起来。很快，腮帮子那里就很酸很酸了。

这就是乡下的家吗？小米想。这里比上海的老房子更有趣，虽然没有认识的伙伴，但这里有这么多好玩的猫、鹅、鸡，有小白兔。当然，还有乡下外婆！

最难的数数

　　第二天，爸爸妈妈先后到了乡下外婆的家。妈妈叫乡下外婆"阿姨"，乡下外婆高兴地答应着，一点不介意。其实，乡下外婆才是妈妈的亲妈妈啊！不过，小米更愿意妈妈叫乡下外婆"阿姨"，因为小米在心里跟城里外婆更亲。

　　乡下阿婆一个人住，可是到了中午，房子里一下子多出来很多很多人。他们都是妈妈的亲兄弟亲姐妹。外婆不是说了么，妈妈原来是刘婶婶家里的十丫头，刘婶婶生了十三个孩子，其中，五个男的，八个女的，只有妈妈在三岁的时候就送了人，其余十二个孩子都是刘婶婶一个人带大的。过年了，有十个孩子回来看望刘婶婶，当然，这里面包括了小米的妈妈。

外婆说，刘婶婶吃了很多很多苦。

现在，房子里坐了那么多人。每个人都带了自己的妻子、丈夫和孩子。大人们在说话，小米就在角落里数数。小米数了三遍都没有弄清楚一共有多少人。第一遍数的是35个人，第二遍数的是34个人，第三遍数的是36个人。有几个小孩在跑来跑去地打闹，根本没法数清楚。

五岁的小米已经学会了十位数的数数，是外公教她的。不过，她数得不是很好，常常数着数着，就出错了。

小米悄悄问外公："外公，这里一共有多少人？您帮我数一遍吧。"

"外公和你一起数。"外公说。于是，他就和小米从左到右把围坐着的人一个一个点过去，趁着这时候，小米也把每个人好好地看了一遍。

第一个是妈妈的大哥，也就是小米的大舅舅。他看上去已经上了年纪，很喜欢说笑话逗别人笑，他自己更是笑得乐不可支。他张开嘴笑的

时候，露出一颗金牙齿，一闪一闪的。坐在大舅舅旁边的当然就是他的老婆，她长得很胖，外衣的纽扣都快扣不上了，她喜欢听丈夫说笑话，她说因为常常笑，所以她越来越胖了。

他们的儿子是个结实的大块头，已经十七八岁了，不怎么说话，他爸爸说笑话的时候，他从来不笑，而是垂着眼睛看住地面，好像在想心事。他是小米的大表哥，叫柱子。

柱子还有一个小妹妹，一直呆呆地冲着小米看，她看上去和小米差不多大。乡下外婆说她的名字叫阿凤。

坐在柱子旁边的是妈妈的二姐，也就是小米的大姨妈。她长得跟乡下外婆可像了，不认识的人，会以为她是乡下外婆的妹妹。不过，小米发现了她们最大的不同，大姨妈穿着鲜艳的格子外套，连鞋子也是红色的，乡下外婆衣服的颜色是灰扑扑的。

从大姨妈这边数过去，依次是大姨妈的女儿、大姨妈的丈夫，二姨妈、二姨妈的丈夫和女儿、儿子，三姨妈、三姨妈的女儿和丈夫、四姨妈……二舅舅……三舅舅……五姨妈……四舅舅……小舅舅……

最后，外公向小米确认，房子里的人加起来一共有35个人。

小米向每个大人有礼貌地打招呼，但最后，她悄悄对外公说："我把他们谁是谁又忘了，怎么办呢，外公？"

外公朝小米眨眨眼睛："慢慢来，我恐怕也要到后天才能把他们的名字和排行对上号呢。"

虽然数数对小米来说很困难，但和几个表兄妹交朋友并不难。在所有的表兄妹里面，小米最喜欢小姐姐阿凤和小哥哥阿南。他们三个人很快就玩到了一起，阿凤和阿南告诉小米很多她不知道的事情，像"门前的小河里，抓到过甲鱼"，"河对岸的小树林里，可以摘到桃子吃"，"那只大鹅可以像狗一样看家，它还会咬人"，"捉到的萤火虫可以装进玻璃瓶子里当灯笼"之类的。小米都觉得很新鲜，她迫不及待地想了解更多的事情。

　　三个人喊喊喳喳说着话，一起玩跳房子的游戏。太阳暖暖地照在房前，一点都不冷。这么快就能认识喜欢的小伙伴，小米觉得这一天过得真开心。

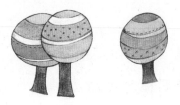

赌气的代价

但是，非常遗憾，小米的好心情并没有持续到晚上。

傍晚，乡下外婆的家里摆上了三张大圆桌，三十五个人要在这里吃上一顿热闹的晚饭了。长到这么大，小米第一次和这么多人一起吃饭。

她坐在外公和外婆中间，爸爸妈妈坐在外婆旁边，他们这桌要坐十二个人哪！每个人的面前都放了一套筷子、小碗碟和调羹。他们桌上就小米一个小小孩，其他几个表哥表姐都十来岁了，他们并不怎么和小米说话。阿凤和阿南坐另一张桌，小米不时回头冲他们笑笑。

这时候，大舅舅从灶间过来了，他手里的

托盘上放了好多玻璃小酒杯。他在每个人的面前都放了一只小酒杯，但小米发现，大舅舅没有在她面前放酒杯。一桌分完了，小米面前还是没有小酒杯！

大圆桌上已经摆了很多很多菜，都是用大海碗装的，堆得像座小山。有闪烁着诱人光泽的红烧蹄髈、冒着油的白切咸肉、香喷喷的炒花生米、足足有一个脸盆那么大的鱼头粉皮，还有小米最喜欢的凤爪和香煎小鱼。小米很想吃凤爪，但她忍住了，她看见大人们都没有动筷子，因为他们面前的酒杯里还没有倒上酒呢。

后来，除了小米，每个人面前的杯子里都倒满了酒，有的杯子里是白酒，有的杯子里是黄酒。小米面前却只有空空的小碗！她回过头，发现坐在另一张桌子上的阿凤和阿南面前也都有个小酒杯！

大人们开始碰杯，说一些祝福的话。小米突然站起来，大声对大人们说："我也要喝酒，我也要干杯。"

大人们愣住了，都看着小米。

小米继续说："我会喝酒的，不信问外公。"

外公把端起的酒杯重新放回桌上，笑嘻嘻地说："我家小米喜欢舔棒冰上的黄酒汁……"

大家都笑起来。

小米的脸却涨得通红，她感到很生气，所有的大人都觉得她很可笑。连妈妈都在笑她。可这在小米看来，一点都不可笑，这是一件很严重很严肃的事情——所有的人面前都有酒杯，唯独她没有。

她很想再说点什么，可是，没有一个人愿意听她说话。他们忙不迭地动筷子、干杯、大声说笑话。外婆把凤爪和小鱼夹到小米的碗里，小米却一点都不想吃。她很委屈，继而又感到很伤心。她觉得自己非常孤独。趁大人们又一次站起来互相敬酒的时候，她偷偷离开桌子，跑了出去。

门外的小河流淌着，因为是冬天，河水浅了，流水的声音好像是在呜呜地哭。小米不顾一切沿着小河跑，她想跑得远远的，谁也找不到她。

不知道跑了多久，小米停下脚步的时候，才发现天已经全黑了。在乡下，没有路灯，只有天上的月亮很亮很亮。抬头看月亮，里面好像有人影儿在晃动，还有树的影子。这就是外公说的嫦娥吗？那我是不是也能像嫦娥一样飞到月亮上去呢？小米想。

可是周围实在太黑了，小树林黑黢黢的影子被风吹得一动一动，还有矮矮的房子，也变成了一团黑漆漆的动物趴在地上，好像随时会向你发起进攻。啊，那在草丛里一蹿而过的是什么东西？远处那些绿绿的一亮一亮的是狼的眼睛吗？如果房子里有灯火该多好，可是那些

温暖的灯火呢？还有亮闪闪的星星呢？它们都跑去了哪里？

　　小米在黑暗中感到害怕了。刚刚开始冒险，刚刚体验到赌气出走的刺激，就已经被胆怯困住了脚步。小米的心怦怦直跳，这个时候，她早已忘记了生气，而是巴望着有谁赶紧把她从黑暗的套子里救出去。

　　她加快了脚步，却不知道该往哪里走。脑袋里胡思乱想，以前听过的故事里的鬼怪全都跑出来吓唬她啦。

　　"外公外婆，你们在哪里？""爸爸妈妈，快来救救我……"小米跌坐在地上，哇的一声哭了出来。

不知道过了多久，小米哭哑了嗓子。

远处，有很多道光柱向这里射过来。是手电筒的光！

"小米，你在哪里？"

"小米，快回家吧——"

是外婆的声音，还有妈妈的、爸爸的、外公的，还有乡下外婆……的声音。小米赶紧从地上爬起来，朝着光柱奔过去。一下子，就撞进了乡下外婆的大胸脯里。

好温暖、好安全哦，小米委屈的泪水好像决了堤，沾湿了乡下外婆的衣襟。

"对不起啊，我以为你真的不会喝酒呢。"是大舅舅在向小米道歉。

可是，不喝酒又怎样呢？总比一个人在野林子乱转、受惊吓好多了。"记住，以后不可以随便赌气哦。"妈妈弯下身子，用脸贴了贴小米满是泪水的小脸。

小米哭得更厉害了。

牛啊羊啊猪啊鸡啊

　　小米和阿凤、阿南有个约定，这个约定对除他们仨之外的所有家人都是保密的。小米一想到这个计划，就会激动得浑身发抖。阿凤和阿南也很兴奋。因为这个计划太有趣了，还有一点点冒险。

　　这个约定是什么呢？暂时保密。

　　来到乡下外婆家，小米每天都有新发现。最新的发现是，乡下外婆家除了有胖猫、大黄狗、兔子、鸡和鹅以外，居然还养了两只山羊！

　　那两只山羊长着老爷爷一样的胡须和尖尖的角，它们一早就离开家去河边吃草。小米偷偷地跟踪它们，它们却不知道。冬天了，河边的草都枯了，它们一边走，一边找草吃，没有草吃，就停下来，静静地望着河对岸。它们走，小米也走，它们停，小米也停，但不敢走得太近。其中的一只羊好像发现了什么，突然回过头来，小米吓一跳，不由地往后退了一步。不过，小米很快就不怕了。羊的眼神很温和，它的嘴一张一合，好像在咀嚼着什么，羊望着小米，"咩"地叫了一声，脸上的表情仿佛在笑。小米也笑了，想伸手去抚摸它，可是羊一激灵，撒腿跑开了。它背对着小米，跑得飞快，屁股上沾了两粒羊粪，样子好玩儿极了。小米大笑起来。

"又臭、又小，沾在身上掉不下来的是什么？"小米给阿凤和阿南猜谜语。

阿凤阿南猜了很多次都没有猜出来。

"是羊粪。"小米说。

阿凤和阿南笑起来，觉得有趣极了。他们就拿这个谜语去给邻居小孩小根子猜，小根子也猜不出来。阿南就骄傲地宣布："是羊粪！"

那两只羊正巧从他们身边走过去，他们于是仔细地观察了羊，发现羊的屁股上真的挂着一两粒羊粪。

"其实兔子也是这样的。"小根子说。

小根子眨了眨眼睛，又说："又大、又圆、又臭，长得像蛋糕一样的，是什么？"

阿凤、阿南、小米都猜不出来。

"是牛粪！"小根子大声说。

四个人一起大笑起来。

小根子家里养了一条水牛，帮助家里犁田。它经常走着走着，就"扑"地拉下一大坨牛粪。大冷天的，还冒出白哈哈的热气。要是不小心一脚踩进牛粪里，肯定拔不出来啦。

阿南突然想起了什么，对小根子咬起了耳朵。

阿凤不高兴了，走上去，推开阿南说："不可以说悄悄话。"

阿南看看阿凤和小米，说："好吧，反正你们都知道，是关于我们的计划。"

小米和阿凤的眼睛都亮了。

阿南灵机一动，想到如果小根子也加入的话，他们的计划会更加有趣。果然，小根子听了也很赞同。

这当然是一个非常有意思的计划。是阿南出的主意，他们想好了，到了除夕晚上，不但人要聚在一起过年，也要让那些远近四邻的牛啊、羊啊、猪啊、鸡啊、猫啊、狗啊、兔子啊……一起过个团圆年。

终于到了除夕。所有的人家都灯火通明，门上贴了红彤彤的喜气的春联。有大人和小孩子在晒谷场上放鞭炮、放焰火，热闹极了。

　　小米、阿南、阿凤偷偷离开大人们，三个人分了工，小米负责去抬草筐里的兔子，阿南负责赶羊，然后去把隔壁阿伯家的猪圈门打开，把两只大胖猪赶出来，阿凤负责让胖猫、黄狗去同门前空地上的鸡们和大白鹅会合……他们做完了这些，远远看见小根子牵着水牛跑过来了！

　　大人们尽情享受着除夕夜的愉快和喜庆，

他们喝酒、聊天，有的还喝醉了。直到听见门外的吵闹声，才发现三个小不点不知道什么时候不见了。

妈妈第一个跑出门外，乡下外婆跟在后面。她们被眼前的景象惊呆了——

门前的晒谷场上，水牛在哞哞叫，一只鸡站在牛背上，咯咯地唱，其余的鸡围着牛转圈，还有的，正在啄猪的屁股。猪呢，吭哧吭哧地往前面跑。大白鹅傻乎乎地踱着步，仿佛什么都没有看见。大黄狗对着猪和牛"汪汪"叫，好像在责怪两个大家伙侵犯了属于它的领地。胖猫好奇地盯着两只慌张的兔子，它俩一跳一跳，不知该往哪里去……最可笑的是，所有动物的脖子上都戴上了一朵小红花。

小米、阿凤、阿南，还有小根子，四个小孩在这群动物中间，又是跑，又是跳，又是笑。

这可是从来没有过的欢闹景象。大人们忘了责备他们，也都站在一边看呆了。

再见啦，再见啦

过完年，小米和外公外婆、爸爸妈妈就要离开乡下了。动身那天，很多人来送。小米拉着阿凤和阿南的手舍不得松开，阿凤和阿南也舍不得小米走，三个孩子像三块粘在一起的小年糕，在家门口哭开了。

乡下外婆和乡下大舅舅一直把他们送到了火车站。小米全家将要坐火车去往三个不同的方向。爸爸要回长江边在水上漂的房子，外公外婆回上海的石库门老房子，小米呢，她将和妈妈一起去长江的另一头——一个她从没去过的有山的地方，她们会住进怎样的房子呢？

不过，小米顾不上好奇，她只是感到了伤

心。要和乡下外婆、自己的外公外婆，还有爸爸分开了，她不知道该先和谁告别。外婆的眼睛红了，她过来抱小米，抱得紧紧的，一边用手绢擦着眼泪。外公和爸爸在小米的两边脸颊上各亲了一口。还有乡下外婆，她又一次把小米揽进自己羽绒枕头一样的胸脯里，但她没有哭，她大声说着"要多吃饭，长胖一些""要想我哟"之类的话，把一大袋子零食塞给了小米。袋子里有山芋干、落花生，还有炒瓜子、爆米花、小鱼干，都是小米爱吃的。

小米和妈妈先上火车。妈妈把车窗用力地抬起来，伸出头去和站台上送行的亲人说话。小米愣在座位上，不知道该怎么反应。过了一会

儿，响起了尖厉
的铃声，火车慢慢
启动了。

"快点，跟大家说再见！"妈
妈忽然回过身来对小米说。

但是，还没等小米站起来挪到车窗前，
火车已经越开越快，站台上的外公、外婆、

爸爸、乡下外婆和大舅舅一下子都离得好远，像被射出去一样。他们的身体越变越小，渐渐地，看不见了。

小米无法伸出头去看，她的心情突然很不好，禁不住哭起来。

她想，以后，她不再能被外婆搂着睡懒觉了，也吃不到外公一早买回来的飘着葱香的小馄饨了；她见不着经常欺负她的小乐哥哥和兰兰姐姐，不能在石库门的院子里跑进跑出了；还有可爱的老是让她流口水的烟纸店，不知道妈妈那里有没有这么吸引人的地方……她还刚刚喜欢上胖胖的乡下外婆、好玩的阿凤和阿南……

其实，小米或许应该高兴一些。一路上，妈妈告诉她，以后，她将和妈妈天天在一起，而且，将会比过去见到爸爸的次数更多——爸爸每隔一个月就会去和妈妈团聚一次。小米还将开始她的幼儿园生涯。在那里，她会认识很多小朋友，学会跳舞唱歌和画画。

妈妈说了好多值得高兴的事情来安慰哭泣的小米。小米边哭边听，慢慢止住了眼泪。上幼儿园、更多地见到爸爸是她向往的。但是她不明白，为什么一点点高兴必须要用更多的伤心来换？她也不明白，其实人生就是由一次次的离别和重聚组成的，在你得到一些东西的时候，就要失去另一些东西。这些话，妈妈都没有对小米说。

长在山坡上的房子

　　妈妈的家是一处长在山坡上的房子。之所以说它"长"在山坡上，是因为这些房子整整齐齐地排列着，在房子旁边长满了树啊、花啊、草啊。远远地看，那些房子被树和花掩映着，好像它们不是人造出来的，而是天生就和那些树啊花啊草啊长在一起。

　　房子里住了很多户人家，他们都是妈妈的
同事，也是从上海来这里工作的。所以，尽管生
活在长江的另一边，他们彼此还是习惯用上海话
交流。妈妈的家在底楼最靠西的一头，除了厨
房，还有两个房间，一间小，一间大。大的房间
外面，有一个用竹篱笆围着的小院子。小房间
里，除了床和柜子以外，还放着一张崭新的写字
桌。妈妈说，这是专为小米准备的。

　　小米觉得这个家和上海外公外婆的家不一
样，和乡下外婆的家更不一样。她隐隐约约记得
爸爸的家是什么样的，爸爸的家和这里当然也不
一样啦。妈妈的家很安静，悄悄打开门，楼道上

没有人影，也听不见说话声，门都关得紧紧的，不知道里面住了谁。外公外婆家可不是这样，那里总是很热闹，石库门里虽然住了很多户人家，但大家相处得就像一家人，连门都不关，谁家做了好吃的都要分给邻居们尝尝。外公和外婆要出门，可以把小米托给邻居照料，反正有的是小朋友可以一起玩。

可是在这里呢？小米都来了一天半了，还没有看见过一个小孩。真没劲！

更糟糕的是，和妈妈一起生活意味着小米再也不能撒娇偷懒了。早晨不能睡懒觉了(别指望把要上班的妈妈拖进被窝里陪小米睡懒觉)；吃饭必须得自己吃，而且碗里还不能有剩饭（以前如果小米撒娇，外婆会喂她，吃不完，外婆会把小米的剩饭吃完）；更可怕的是，小米得隔三差五地洗澡洗头（小米最讨厌洗澡洗头啦，以前都是外婆连哄带骗让她洗的）。

你知道在冬天洗澡和洗头是一件多么麻烦讨厌的事情吗？

大冷的天，把一层又一层的衣服脱光，冻

得瑟瑟发抖跑进浴室，这本身就是一件痛苦的事情。能冲热水当然很舒服，可是，被大人摁着脑袋洗头的感觉就不是那么美妙了。眼睛里会进肥皂沫，很痛；耳朵里会进水，很难受；长时间保持一个姿势，脖子很酸。洗完澡、洗完头，痛苦并没有结束。因为是冬天，要穿上棉毛衫、棉毛裤、外面还要穿毛衣、毛裤、棉袄和棉裤，整个人被包得严严实实的，像个小枕头。刚洗完澡，身上又不干爽，贴身的棉毛衫、棉毛裤粘在身上，浑身难受，连行动都受到了阻碍。

从浴室出来，小米原想哭喊两声，但她知道，现在，她面对的是妈妈，而不是外婆，哭是没有用的。于是，她只好乖乖地跟着妈妈往家走。好在，这一路还有不少好看的东西。她们沿着山路走，土黄色的枯叶铺了满满一地，路边是石头垒成的山墙，不怕冷的小鸟在地上一跳一跳地啄食，远处的山绵延着，伸向神秘的远方。三三两两的人和她们擦肩而过，妈妈都会和他们打招呼，或者礼貌地笑笑。

"妈妈，你都认得他们吗？"小米问。

"有的认得，有的不认得，不过大家都很面熟。"妈妈说。

这真是一个奇怪的地方。小米想。

"山的那边是不是外公和外婆的家？"小米又问。

"哦……"妈妈抬起头，望望远处的山，说："也许吧，妈妈也不知道。"

"如果一直往山那边走，我们能走到外公和外婆的家吗？"

"能走到吧，不过，要走很久很久。"妈妈说。

"在路上会不会遇见白雪公主和七个小矮人？"

"会的吧，还会看见森林小木屋，也有可能会遇见狠心的王后。"

"我会恳求王后不要伤害白雪公主。"小米说。

"好的，你的恳求一定能感动王后的。"妈妈笑了。

小米抬起脸看妈妈，和妈妈说话真是一件

开心的事。

　　这么说着话，吹着冬天的风，从浴室出来的暖烘烘的身体变得很干爽，也不觉得身上的衣服粘人了。小米被妈妈牵着手，高高兴兴地回家去。

不好受的午觉

　　一个星期后，小米正式去上幼儿园了。在这之前，小米从来没有上过托儿所，不知道集体生活是什么样的。妈妈说，上幼儿园，就要和很多同自己一样大的小朋友在一起，一起上课、一起吃饭、一起玩耍、一起尿尿、一起睡午觉。小米脸上现出向往的神色，和很多小朋友一起做本来一个人做的事情，听起来确实很有趣。

　　小米的幼儿园也是一座长在山坡上的房子，不过，这里要比妈妈的家宽敞很多，每间教室里有着明亮的落地窗和木头护栏，还带有一个大花园，花园里有跷跷板和滑滑梯。小米的班上有二十个小孩，十个男孩，十个女孩，老师年纪比妈妈大一点，说话很细很温柔，她让小朋友们叫自己月亮老师。月亮老师负责给小朋友们上课。还有一个年纪更大的太阳老师管他们的生活，照顾他们吃饭和睡觉之类的。月亮老师和太阳老师一个高一个矮，她们都很和蔼。

小米很快喜欢上了这里。

她最喜欢上图画课和课间做游戏，也喜欢和大家一起吃午饭。吃午饭用的是统一的不锈钢碗和勺子，老师把饭菜和汤分在每个孩子的碗里，然后大家围在一起吃。很多人在一起吃饭比一个人吃香多了。小米试着吃了以前从来不肯吃的肥肉，原来肥肉并不是那么难吃嘛。

不过，有一件事情小米不喜欢，那就是睡午觉。

以前，小米从来不睡午觉。但在幼儿园里，吃完午饭是必须要睡午觉的。太阳老师把孩子们带到休息室里，在那里，每个孩子都有一张带围栏的木头床，还有一床从各自家里带来的小被子。

午睡时间到了，别的孩子很快进入了梦

乡。可是小米却翻来覆去睡不着，她的脑子里闪现各种各样的念头：吃午饭的时候，谁说了一句有趣的话啦；晚上妈妈要带她去会画画的叔叔家玩啦；昨天收到了外公外婆的来信啦；今天她学会了一个左右动脑袋的新疆舞动作啦……小米皱着眉头，闭紧眼睛，用力把这些念头从脑袋里赶出去，可是没有用。脑袋里的念头越来越多，

嘘～～

它们像小人一样在小米的脑袋里起劲地跳舞。

太阳老师坐在门口监督他们，看哪个小孩不好好睡觉。她看见小米不停地翻身，就走到小米身边，摸摸她的脸。

小米紧张得心怦怦跳，她想假装睡着，眼皮却不听话地不停地颤动。

太阳老师没有说话，悄悄地走了过去。小米再也忍不住了，她睁开了眼睛，看见太阳老师胖胖的背影，她给睡相不好的孩子盖上蹬掉的被子，还帮他们掖紧被角。就在这时，太阳老师忽然转过身来，小米赶紧闭上眼睛——真惊险！

对小米来说，午睡的一个小时漫长而难熬。因为只脱掉了外面的棉袄，是穿着毛衣睡觉的，加上紧张，小米出汗了，身上黏糊糊的，很不舒服；更加不幸的是，小米的小肚子隐隐作痛，还咕噜咕噜叫，好像要上厕所了……可是大家都在安静地午睡，小米怎么敢大声说"报告老师，我要上厕所"呢（老师规定，每个小朋友要去厕所前都要报告）？小米拼命忍着，闷出了一身冷汗。等到午睡结束，太阳老师叫醒大家时，小米已经像从水里捞出来的一样，头发全被汗浸湿了。

第一天的午睡就是这样熬过去的。

第二天的午睡也一样难熬。

第三天，小米迷迷糊糊地睡着了，但睡得很浅，还被梦魇魇住了，怎么也醒不过来。别的小孩都起床了，小米却在梦魇里挣扎，身上好像压了一块大石头，连一根手指也动不了。好不容易醒来，心慌、出汗，难过地想哭。

真是让人沮丧。原本轻松有趣的幼儿园生活就这样被不好受的午觉破坏了。

到了第四天早晨——

妈妈给小米洗脸的时候，小米吞吞吐吐地说："妈妈，把我的小被子拿回来吧。"

"为什么？"妈妈很纳闷。

"我不想去幼儿园了。"

小米的嘴巴瘪了瘪，眼泪掉下来了。

"小米乖，妈妈还要去上班。"妈妈着急地说。

"我真的不想去幼儿园了。"小米继续掉着眼泪。

"快告诉妈妈为什么？"

"因为……因为我睡不着午觉，睡午觉很难受……"小米快哭成一个小泪人了。

妈妈知道小米没有睡午觉的习惯，她也知道如果不是因为特别难受，小米不会提出这样的要求。看到小米哭，妈妈也很难过。妈妈觉得小米是个可怜的孩子，那么小，就和爸爸妈妈分开了，好不容易和妈妈团聚，又要离开把她带大的外公外婆。爸爸不在身边，妈妈一个人带小米很辛苦，还要每天早出晚归地上班……想着想着，妈妈也觉得自己很委屈，便和小米一起哭开了。

看到妈妈哭了，小米大吃一惊，她止住了哭，伸出小手给妈妈擦眼泪，哽咽着说："妈妈不哭，我去上幼儿园，不把小被子拿回来了。"

这是小米平生第一次懂得去体会大人的感受。妈妈蹲下身来抱住小米。被妈妈抱着，小米心里真是温暖啊。

一个大人和
一个小人过日子

　　每天下午四点钟，妈妈会来幼儿园接小米。有时候，妈妈要加班，就会委托同事顾阿姨来接。顾阿姨比妈妈年长一些，她个子不高，说话喜欢歪着头。

　　顾阿姨家里有三个上小学的女儿，她们经常互相吵架。不过，她们都很喜欢小米。有时候，顾阿姨会把小米留在家里吃完晚饭，才把她送回家。小米太矮了，够不到桌子，只好站在小凳子上吃饭。她最喜欢吃顾阿姨做的粉丝汤，一边从碗里吸溜粉丝，一边说："鲜啊，真鲜啊。"样子很可爱，顾阿姨全家都会笑起来。

　　更多的时候，只有小米和妈妈两个人在一起。

一个大人和一个
小人过日子，又寂寞又快乐。

傍晚的时候，妈妈带小米出去散步。
她们去了很多地方，街角的小食品店、小
花园里的猜谜角、开满了野花的田埂……
她们喜欢爬坡，在这个地方，所有的房
子都长在山坡上，她们从一个坡爬到
另一个坡，起起伏伏的，很快就
走出一身汗来。

小米最喜欢一边走一边
和妈妈说话。

如果看到一只小猫藏
在灌木丛里，妈妈就会停下

来，让小米也看，然后问小米："看见什么了
呀？"

　　小米就会说："看见了一只小猫。"

　　妈妈又问："小猫在干什么？"

　　"躲在草丛里，眯着眼睛偷看我们呢。"

　　"它长什么样子？"

　　"身上一条黑一条黄，哦，它的尾巴有点
秃呢。"

　　"尾巴有点秃吗？
我怎么没看见。"

　　"喏，你看，"
小米指给妈妈看。

　　那只小猫乖
乖地站着，
也不逃，

任母女两个人看。

妈妈还喜欢问幼儿园里的事。

小米就一五一十地告诉妈妈一天里发生的事。中午吃了什么啦；月亮老师教会她们画房子啦；睡午觉的时候，有两个小朋友隔着床架子踢来踢去，被太阳老师拎出去罚站啦；有个小姑娘戴了新的蝴蝶结，却给调皮的男孩弄坏啦，等等。

这些幼儿园里发生的琐事，妈妈总是听得很专注，"嗯嗯"地应着，还会好奇地提问。妈妈的每个问题，小米都回答得很认真。也有答不出来的，小米就会说：明天去问问，回来告诉你。

每个星期，小米和妈妈必做的一件事，就是分别给外公外婆和爸爸各写一封信。小米还不会写字，就由小米口述，妈妈执笔。除了向他们汇报自己的生活外，总要说上一句——祝外公外婆、祝爸爸身体健康。在信的末尾，小米用铅笔画上自己的小脸，作为签名。

因为不会写信，小米热切地盼望上学，到那时候，她就会写很多很多字了。她盼望着将来有一天，能亲手给外公外婆和爸爸写信。妈妈说

这不会太远，明年这个时候，小米就会成为一名小学生了。想到这个，小米就觉得浑身是劲儿，一切都变得很美好。

不过，也有不美好的时候，那就是妈妈生病的时候。

有一次，妈妈发高烧了，她没有去医院，自己吃了些药，躺在床上休息。小米很想为妈妈做点什么，她给妈妈倒了水，把杯子放在妈妈的床头，还学着大人的样子，给妈妈披披被角。看着小米做这些，妈妈的眼睛里充满了泪水。

"坐在妈妈身边。"妈妈说。

小米坐到了妈妈的床边。

"有一件事，妈妈要托付给小米。"妈妈说。

"什么事啊？"小米郑重其事地问。

"要是妈妈晚上昏过去了，你怎么也叫不醒妈妈的话，你就要去敲邻居的门，让他们把妈妈送到医院去。明白吗？"

听妈妈这么说，小米觉得非常可怕。她想到妈妈昏过去的样子，感觉妈妈很可怜，这么想着，小米也要哭了。不过，小米拼命忍住了眼泪，用力点点头。

在睡觉前，小米让妈妈找出一截细绳子。

"找绳子干吗呢？"妈妈问。

小米笨手笨脚地把细绳子的一头系在自己的左手腕上，另一头系在妈妈的右手腕上。妈妈明白了，这一招是小米从童话故事里学来的。

"夜里要是不舒服，你动动绳子，我就知道啦。"小米认真地吩咐妈妈。

妈妈笑嘻嘻地点点头。

这一夜，小米一直强撑着不让自己睡着。可是，浓浓的睡意一阵阵地袭来，小米再也撑不住了，终于沉沉地睡着了。

第二天早上醒来，妈妈已经在厨房里忙碌了。小米手腕上的细绳子散落在床边。她不好意思地想：哎呀，我怎么就睡着了呢？

楼上的孩子

　　小米到妈妈家一个月后，爸爸来探亲。一家三口每天吃完晚饭都会出去散步。

　　有一天傍晚，三个人照例要出门。正关门的时候，从楼上走下来一个叔叔。那个叔叔头发分成三七开，梳得很整齐，穿着一件米色的卡其布工作服，脚上穿一双咖啡色的麂皮工作皮鞋。他的手里牵着一个女孩。那女孩也是四五岁的样子，看上去比小米稍微小一些。女孩梳着短头发，发式很拘谨，露出宽宽大大的额头，使得她的脸看上去好像一个倒过来的葫芦。女孩的裤子也很短，只到脚踝那里，脚上穿着双黑色的搭襻皮鞋，和小米脚上的那双很像。

　　　　小米听见叔叔
叫她：“银安。”

　　　妈妈认识这个叔叔，问他：“又
来玩啊。”

　　　叔叔点点头：“来接银安，带她去看电
影。”

　　　原来，这个叫银安的小姑娘是这位叔叔的
侄女。

　　　小米好奇地看着这个女孩，来了这么长时
间，她还不知道楼上住着一个和自己差不多大的小姑娘呢。

　　妈妈让小米跟叔叔打招呼，小米就听话地叫了一声："叔叔好。"

　　叔叔笑着点点头，也让银安跟小米的爸爸妈妈打招呼。

　　银安犹豫了一会儿，才轻轻地叫了一声："阿姨。"但她看着小米的爸爸，始终不做声。

　　她叔叔就弯下身子催促她："快叫啊。"

银安还是不做声。

她叔叔就说："你叫我什么呢？"

"叔叔。"银安轻轻地说。

"那你就这样叫小米爸爸吧，一样。"她叔叔说。

银安抿了抿嘴唇，挤出了两个字："一、样——"

爸爸妈妈和银安的叔叔都有些尴尬，小米想笑，看看大人的表情，就忍住了。

"抱歉啊，这孩子胆小，我们走了。"银安的叔叔急匆匆地带着银安走了。

"可怜的孩子，"妈妈望着他们的背影说，"银安的妈妈在她出生时就去世了，她爸爸一个人带她，但总是上夜班，晚上就要托付给叔叔，连个教她唱儿歌、讲故事的人都没有。"

妈妈又对小米说："以后，你可以把银安请到家里来玩。要友好地对待银安，把好吃的好玩的分给她。不许笑话她，知道吗？"

小米并不完全理解妈妈的话，但她心里还是很高兴。原来在这么近的楼上，就住着一个和自己差不多大的玩伴，小米可以随时敲她的门，把她请到家里来了。

她盘算着，明天就把银安请来。她们可以在一起玩什么呢？办家家、搭积木、给娃娃打针……虽然银安叫爸爸"一样"，但没关系，小米相信，下次再见到爸爸，银安就会懂得叫爸爸什么了。

不过，银安会不会接受小米的邀请呢？这一点，小米有些担心。

请银安来玩

　　第二天下午，小米从幼儿园回来，就上三楼去敲银安家的门。银安家的门上装了一扇纱门，是夏天用来防蚊子的，但现在还没到夏天，纱门就已经装上了，也可能从去年开始就没有拆下来过，上面积了很多灰，绿颜色的纱已经变成了土黄色。

　　小米敲门，过了很久才听见门里面有响动。又过了一会儿，门开了一条缝，里面露出一双黑乎乎的眼睛。

　　"你还认得我吗？我是楼下的小米。"小米很高兴地说。

　　门开大了一点，银安侧着身子，疑惑地看

着小米。

"我妈妈烧了桂花红豆汤,让我请你去我家吃。"小米继续说,"我还有很多玩具,想和你一起玩。"

银安还是犹豫着。

"没关系的,我妈妈已经跟你爸爸说过了。"

银安的脸上露出了笑容。她点点头,走了出来,小心地把门关上。然后跟着小米,蹦蹦跳跳地下了楼。

小米拿出了洋娃娃、玩具锅子炉灶和玩具听诊器,和银安玩起了过家家游戏。以前,小米都是一个人玩,现在,有了银安,她们可以一个扮演妈妈,一个扮演医生,给洋娃娃做饭、打针看病。

她们吃一口妈妈端来的桂花红豆汤,再玩一会儿,再吃一口桂花红豆汤。小米拿出玻璃珠子,让银安在小锅子里"煮汤圆"。汤圆很快煮好了,银安想了想,说:"你等等啊。"说着,就开门跑了出去。

小米很纳闷，
不知道银安要去干
吗。她透过窗户，看见
银安钻进了楼前的草丛里，抓
了一把青草跑回来了。

原来银安是想在锅子里炒菜。小
米把银安拿来的青草，用塑料小刀切
碎了，然后像模像样地放进玩具锅子
里，用小铲子翻炒起来。小米回忆着
外婆和妈妈炒菜的样子，努力让自
己炒菜的动作做得标准。接着，把
炒好的"菜"盛进玩具小盆子里。

妈妈走进来时，看见
这样一幅景象：洋娃娃的
胸前挂着听诊器，手

上插着玩具注射器，脖子上挂着一圈野花做的
花环，面前摆着一盘"炒青
菜"，一碗"煮汤
圆"，还有一
些叫不出
名字

的"菜"。看着洋娃娃又痛苦又幸福的乱糟糟的生活，妈妈很想笑，但还是表扬她们说："不错啊，把洋娃娃照顾得很好，以后你们俩都可以做个好妈妈。"

"好妈妈？"小米和银安相互看了一眼，扑哧笑了。小米很高兴，从此可以经常和银安一起玩了。

见不到的小弟弟

一个月还没到，爸爸就提前回来了。他送妈妈去了趟医院，当天就回了家。妈妈一直躺在床上，脸色很苍白。爸爸给妈妈烧了很多好吃的，当然，小米也一起分享了。

小米问妈妈："你病了吗？"她想起以前妈妈嘱咐她的事情，如果昏倒了，要去叫邻居。

妈妈摇摇头，说自己没病。

小米又去问爸爸："妈妈病了吗？"

爸爸笑笑，也摇摇头，看上去一点都不难过。

小米有些纳闷。她给妈妈端了杯茶，学着大人的口气说："如果有哪里不舒服，就叫我

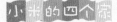

啊。"

妈妈笑着点点头。

生病了为什么还那么高兴呢？小米用力想都没有想出个所以然。

顾阿姨来看妈妈了，带来了桂圆和红枣。顾阿姨说，桂圆和红枣都是补血的食物，对妈妈有好处。她还避开小米，凑到妈妈耳边说悄悄话。

小米在旁边看着，有些生气了。心想：为什么那么神秘？有什么话不可以让我听到吗？

妈妈在家休息了一个星期后，爸爸走了。妈妈也重新去上班。爸爸临走时，对小米说："不要让妈妈碰冷水，你帮助爸爸监督妈妈，好吗？"小米郑重地答应了。

小米记住了爸爸的话。但她绞尽脑汁都没有想明白，妈妈究竟是什么病才不能碰冷水呢？

她看见妈妈洗菜或者洗衣服，就会提醒道："用温水啊。"

看见妈妈要穿衣服出门去了，就会提醒："多穿点，别冻着啊。"

和妈妈一起去公共浴室洗澡，也不忘记说一句："水热一点啊。"

每次，妈妈都笑着回答："知道啦，小老太婆。"

听见妈妈叫自己"小老太婆"，小米就冲妈妈撇撇嘴，说："是爸爸让我提醒你的！"

一个月后，小米还是每天不厌其烦地提醒妈妈："用温水啊，不要碰冷水。"

妈妈终于忍不住了，说："以后不用小米这么提醒了。"

"为什么，爸爸不是关照我要提醒妈妈的吗？"

"那只是很短的时间需要这样，现在不需要了。"妈妈说。

"为什么呢？"小米还是不明白。

"那时候，妈妈身体不好，现在妈妈身体好了。"

"可那时候，妈妈也说自己没有病的。"小米感觉非常奇怪。

"好吧，妈妈告诉你，"妈妈想了想说，

"那个时候，小米失去了一个小弟弟。"

"小弟弟？"小米更奇怪了。

"对，本来小米即将有一个小弟弟了，但是爸爸妈妈商量后决定，不要小弟弟了，我们有一个小米就够了。"妈妈说。

"是这样啊，那爸爸妈妈把小弟弟藏到哪里去了？"

"妈妈做了流产手术，小弟弟就没有了。"

小米睁大眼睛，觉得不可思议。

"别担心，小弟弟还没有成形，他不会感到痛的，他也不知道有爸爸妈妈和小米的存在。"妈妈说。

原来是这样。小米松了一口气。但小米还是觉得有点难过，有个弟弟多好啊，她就不用总是一个人玩了，她可以和弟弟一起吃饭，给他穿衣服，别人欺负弟弟的时候，可以挺身而出保护他。

以后玩过家家的时候，小米心中暗暗地想，洋娃娃就是她没有出世的小弟弟。她照顾洋娃娃比以前更加周到和细心，就像在照顾自己的小弟弟一样。

就要上小学啦

最近，小米总是听到好消息。

再过一个月，她就要上小学啦！妈妈已经带她去小学报了名，再过几天，还要带小米去参加小学的面试。

更好的消息是，外公外婆要来了。他们将从上海搬过来，和小米、妈妈一起住！

这两个好消息让小米的每一天都过得很兴奋，连走路都是蹦蹦跳跳的，做什么都哼着歌。在幼儿园里，小米已经学会了唱很多首歌，她最喜欢唱的是《读书郎》——

小嘛小儿郎，

背着那书包上学堂。

不怕太阳晒，

也不怕那风雨狂，

只怕先生骂我懒哪，

没有学问呀，无颜见爹娘。

（朗里格朗里呀朗格里格朗），

没有学问呀，无颜见爹娘。

小米最喜欢唱"朗里格朗里呀朗格里格朗"这一句，但总是唱得口齿不清，上气不接下气。不过，她还是一遍又一遍兴奋地唱。

上学当然是一件值得高兴的事，但小米不知道，妈妈却有些心事重重。她不知道小米能不能坚持着听完一节课，能不能养成良好的学习习惯，能不能和老师同学相处好。但有一点妈妈可以肯定，小米是个很向往读书的小孩，也很愿意接受教育，希望自己能成为一个好孩子。但愿小米在小学里能有一个良好的开端吧。妈妈在心里暗暗祈愿。

过了几天，妈妈带着小米去小学面试。在休息室里坐着很多和小米一般大的小孩，有好几个还是小米幼儿园的同学。但大家都很轻松，没事人一样打打闹闹，嘻嘻哈哈，倒是家长们很紧张，喝令孩子们停下来不准打闹。

小米和另一个认识的小孩挽着手，去隔壁的面试室窗前偷看，但还没有看清楚，就被妈妈抓回来了。

"安静些。马上就要轮到你了。"妈妈说。

果然，不久就轮到了小米。直到进了教室，小米才感到有些紧张。她的面前坐了两个中年女老师，其中一个好看的女老师下巴上长了一颗痣，说话笑眯眯的，样子很好看。她让小米在椅子上坐下来。

好看的老师问她："你会写自己的名字吗？"

　　"会！"小米说着，就在老师指定的小黑板上用粉笔写自己的名字：童小米。要感谢爸爸妈妈给自己取了这么一个笔画少的名字，除了"童"字难写些，后面两个字真是太容易了。这是一个星期前妈妈刚刚教会她的。

　　另一个老师问她："会背儿歌或者古诗吗？"

　　小米心里又是一阵高兴。平时和妈妈去散步时，妈妈每天都教她一首儿歌或者唐诗，她想说，我还会造句哪。可惜，考官没有给她机会。

　　小米背了一首《锄禾》，那位老师笑着点点头。

　　好看的老师问她："今天谁陪你来面试的？能说出爸爸妈妈的名字吗？"

　　小米都回答出来了。

　　最后，老师又问："你家住在哪里？"

　　老师是想请小米说出家的地址。

　　可是，小米却回答说："我应该说哪个家？"

　　两位老师都纳闷了："你有几个家呢？"

小米说："我有四个家，我出生在上海的家里，不过我还有爸爸的家、乡下的家，还有妈妈的家。"

不等老师说话，小米就自顾自地说起来。她出生在上海的老房子，那里很热闹；爸爸的家在长江边上，会漂哦；在乡下的家可以和牛啊羊啊兔子啊一起玩，妈妈的家很安静很干净……

两个老师被她说得目瞪口呆，但听着听着，脸上都露出了笑容。

小米走出教室的时候，妈妈很担心，因为小米面试的时间比别的小孩都长。妈妈问小米有什么感觉，小米说不知道，不过老师听我说话的时候是笑着呢！但妈妈还是很紧张，直到收到了小米的小学录取通知书，妈妈才放下心来。

小米马上就要结束无忧无虑的学前期，踏进小学校门了。以后的日子里，小米能走好吗？她能快乐吗？妈妈为小米的未来担心着。

（第一部完）